KB196133

스마트스토어 마케팅

개편된 검색엔진에 맞춘 네이버쇼핑 상위 노출 로직의 비밀

스마트스토어 마케팅

초판 1쇄 인쇄 2018년 11월 5일
초판 1쇄 발행 2018년 11월 9일

지은이 고아라

발행인 백유미 조영석
발행처 (주)라온아시아
주소 서울시 서초구 효령로 34길 4, 프리스효령빌딩 5F

등록 2016년 7월 5일 제 2016-000141호
전화 070-7600-8230 **팩스** 070-4754-2473

값 16,000원
ISBN 979-11-89089-44-3 (13320)

※ 라온북은 (주)라온아시아의 퍼스널 브랜딩 브랜드입니다.

개편된 검색엔진에 맞춘 네이버쇼핑 상위 노출 로직의 비밀

스마트스토어 마케팅

고아라 지음

Naver Smartstore Marketing

RAON BOOK

프 롤 로 그

필자가 이 업계에 처음 뛰어들었을 때와 지금을 살펴보면 참 많은 부분들이 변화되었다는 생각이 든다. 특히나 최근 3년간은 격변의 시대였다. 현직에 있는 사람들도 휘몰아치는 빠른 변화에 적응하기 힘들 정도니 아무것도 모르고 온라인 쇼핑몰 사업에 뛰어든 판매자들은 얼마나 힘들까 싶다.

필자가 처음 온라인 쇼핑몰 사업에 뛰어들었을 때만 해도 온라인 판매자가 많지 않았다. 하지만 지금은 물건을 구매하는 사람들보다 판매하는 사람들의 수가 더 빠르게 늘어나고 있다. 진입은 쉽지만 자리 잡기는 점점 더 힘들어지는 것이다.

게다가 온라인 마켓의 트렌드가 자주 변화하다 보니 제품을 제조 또는 도소매 하는 판매자들이 필자에게 온라인 마켓과 관련된 문의를 많이 한다. 작년부터는 특히 스마트스토어에 대한 문의가 많아지고 있다.

온라인 마켓 트렌드는 11번가, G마켓과 같은 오픈 마켓에서 쿠팡과 같은 소셜커머스로 옮겨갔다가 최근 네이버가 스마트스토어를 출범하면서 판매자들의 관심이 옮겨갔다.

스마트스토어는 이전의 오픈 마켓과 비슷한 형식이지만 네이버라는 강력한 플랫폼 내에 있다는 강점이 있다. 특히 사람들이 가격 비교를 위해 가장 많이 찾는 네이버쇼핑 영역과 바로 연결된다는 점은 온라인 판매자들에게는 엄청난 매력으로 다가온다. 스마트스토어는 이런 관심을 바탕으로 해마다 급성장을 하고 있다.

이 책은 스마트스토어와 관련된 기초적인 내용에 초점을 맞추기보다는 스마트스토어를 활용해서 창업을 하는 것에 초점을 맞췄다. 또 판매자들이 판매를 진행하면서 좀 더 마케팅을 해보고 싶을 때 봐야 하는 내용으로 구성했다. 따라서 스마트스토어에 관해 중 · 고급 정도의 난이도가 될 것이다.

1장은 스마트스토어를 활용해서 창업을 하기 전에 알아야 할 내용으로 구성했다. 무작정 점포를 개설하기보다는 미리 마케팅 활용에 관해 알고 시작하면 분명 도움이 될 것이다. 2장은 스마트스토어 가입법을 안내한다. 3장부터 6장까지는 실질적으로 스마트스토어를 활용해서 네이버쇼핑 영역에 상품 등록을 할 때 다른 판매자보다 더 내 상품이 우위에 노출되기 위해 알아야 하는 내용을 다뤘다. 상품 등록 이전에 경쟁력 있는 키워드 선정부터 상품을 등록할 때 알고 등록하면 도움이 되는 요소들, 상품 등록

이후에 활성화와 관련된 활동들, 그리고 하지 말아야 할 요소와 관련된 내용들을 소개했다. 마지막 7장에서는 스마트스토어 쇼핑몰 세팅과 운영관리하는 방법에 대해서 다뤘다.

국내에서 마케팅을 하려면 검색 장악력이 높은 네이버를 활용할 수밖에 없다. 네이버는 끊임없이 변화하고 있다. 따라서 우리는 네이버에 지속적으로 관심을 가져야 한다.

온라인 마케팅을 할 때 가장 중요하게 생각하는 것은 네이버 검색 결과 상위 노출이다. 내 제품에 대한 홍보 콘텐츠가 고객에게 보여야 하기 때문이다. 충분히 이해한다. 다만 필자가 여러 판매자를 만나면서 안타까웠던 점은 정석이 아닌 꼼수를 부리는 마케팅을 진행한다는 점이다.

즉 네이버가 전체적으로 변화되어 가는 방향이 아닌 상위 노출 로직에서 어떠한 부분이 변화되었는지에 대한 것에만 관심이 많다는 것이다. 예를 들어 상품명에 키워드를 어떻게 써야 상위 노출이 잘된다와 같은 방법적인 부분에 관심이 많다는 것이다.

그러나 상위 노출 로직과 관련된 요소는 끊임없이 변화하고 있고, 앞으로도 계속 변화할 것이다. 뛰는 사람 위에 나는 사람 있다고, 상위 노출과 관련된 꼼수 마케팅이 끊임없이 개발되니 네이버는 그것을 뛰어넘는 정책과 검색엔진을 계속해서 도입할 수밖에 없는 것이다. 꼼수와 관련해서 접근하면 네이버가 변화하는 대로 우리는 늘상 쫓아가야 한다. 하지만 네이버가 추구하는 방향에 대해 알고 접근하면 상위 노출 로직은 어찌 보면 그리 어려운 일은 아니다.

이 책은 네이버가 추구하는 방향에 맞춰 상위 노출과 관련된 내용을 설명했다. 스마트스토어를 활용하여 네이버쇼핑 영역에서 내 상품을 어떻게 하면 다른 판매자보다 노출을 더 잘 시키고 마케팅을 잘할 수 있는지에 포커스를 맞췄으니 참고하길 바란다.

이번 책은 2014년도 이후 4년 만이다. 책을 준비하면서 독자들에게 어떻게 하면 도움이 될 수 있을지 많이 고민하고 수정하였다. 독자들이 이 책을 통해 조금이나마 스마트스토어 시장에 대해서 이해할 수 있는 계기가 되었으면 한다. 나아가 네이버쇼핑 영역에 대한 이해를 돕고, 스마트스토어 마케팅을 잘해나갈 수 있는 길라잡이와 같은 책이 되었으면 한다.

책을 집필하는 동안 옆에서 응원해준 가족들과 친구들 그리고 경영자 모임 식구들, BNI 식구들, 한성재 교수님에게 감사드린다.

차례

3장 1위 노출 키워드는 어떻게 다를까

상위 노출 로직 마스터하기

스마트스토어 쇼핑몰 세팅과 운영관리

1장

네이버 쇼핑몰 스마트스토어에 올인하자

누구나 손쉽게 내 쇼핑몰을 만들 수 있다

오프라인에 가게를 하나 차리고 싶다면 가장 먼저 어디를 찾아야 할까. 바로 부동산이다. 그렇다면, 온라인상에 내 가게를 차리려고 할 때는? 마찬가지로 부동산을 찾아가면 된다.

온라인 부동산 중개업에 뛰어든 네이버

가상의 공간인 온라인에서도 부동산 중개업을 하는 회사들이 있다. 많은 회사가 있지만 가장 큰 3대 회사만 꼽아보면 카페24, 고도몰, 메이크샵이라 할 수 있다. 온라인상에 내 가게를 차려보고 싶다면 이처럼 온라인 부동산 중개업 회사를 찾아가 가상의 공간과 기간을 정해 임대해서 쓰거나 또는 아예 내 가게가 될 공간을 사서 사용한다. 이런 온라인 부동산 중개업에 네이버도 뛰어들었다.

과거 판매자들은 카페24, 고도몰, 메이크샵을 통해서 쇼핑몰을 구축하고 네이버를 마케팅 채널로만 활용했다. 그런데 이제는 네이버가 모바일용 홈페이지 '모두'라는 서비스와 나만의 쇼핑몰을 구축할 수 있는 '스마트스토어'를 만들어 쇼핑몰 구축부터 마케팅, 관리까지 네이버 내에서 통합적으로 할 수 있게 되었다.

네이버페이와 스마트스토어

스마트스토어 쇼핑몰을 만드는 법은 매우 간단하다. '스마트스토어센터'에 가입해서 제품 등록을 하면 된다. 사업자등록 번호가 없는 개인도 스마트스토어센터에 가입해서 판매를 할 수 있다.

이렇게 판매 시작이 쉽다 보니, 2017년 4분기 네이버 실적 발표 내용에 따르면 1만 5,000명이 스마트스토어를 통해 스몰비즈니스 창업에 나섰고 연매출 1억 원을 넘은 창업자가 1만 명이 넘는다고 한다. 또 2018년도에 네이버에서 발표한 보고서에 따르면 네이버쇼핑 판매자의 추계소득(매출액에서 주요경비를 공제한 후 남은 소득금액)은 9,800억 원, 절감비용(홈페이지 구축, 월사용료, 통합결제 서비스 등의 비용)은 연간 770억 원으로 추정된다.

네이버는 특히 온라인 쇼핑몰 구축 단계에서 판매자가 가장 신경쓰는 결제시스템 연동과 관련해서도 '네이버페이' 서비스를 통해 편리하게 시스템을 활용할 수 있도록 했다. 별도의 회원가입 없이 네이버 아이디로 쇼핑과 결제를 하고 결제한 만큼 쌓인 포인트를 쓸 수 있어 편리하다.

쇼핑 외에도 네이버뮤직, 네이버웹툰 등 네이버 내의 디지털 콘텐츠 결제도 가능하다. 공인인증서나 문자 메시지 인증 없이 첫 번째 결제 때 사용했던 카드와 은행 계좌를 등록하면 그다음부터는 비밀번호만 입력해도 결제가 가능하다. 이렇게 사용자에게 결제의 편리함을 제공하다 보니 판매자들 또한 네이버페이 서비스에 많이 가입하고 있다.

필자의 경우 네이버쇼핑에서 제품을 구경하고 결제할 때 네이버페이에 가입되어 있는 쇼핑몰부터 찾는다. 이유는 하나다. 네이버에 로그인된 상태라면 다른 결제 수단을 선택해서 결제하는 것보다 네이버페이를 이용하는 게 훨씬 편하고 빠르게 구매할 수 있기 때문이다.

온라인 쇼핑에서 결제의 편리함은 매우 중요하다. 결제 과정이 복잡하거나 불편하면 고객들은 결제하는 도중 쇼핑을 포기한다. 결제에 대한 불편함은 구매 전환율을 떨어뜨리는 요인이 된다.

2018년 4월 22일 기준 3만 8,975개의 쇼핑몰이 네이버페이에 가맹이 되어 있다. 스마트스토어 판매자가 되면 네이버페이에 따로 가입할 필요가 없다. 스마트스토어센터에 가입하는 절차 내에 네이버페이 이용에 동의하는 과정이 있다.

판매자 입장에서는 편리한 결제시스템을 가입과 동시에 활용할 수 있고 물건을 구매한 사람 입장에서도 다른 사이트로 가지 않고 바로 결제할 수 있으니 편리하다. 판매자와 구매자 양쪽에 편리함을 제공하다 보니 스마트스토어를 통한 매출액이 증가했고 이는 네이버쇼핑 영역 매출이 올라가는 데에 기여하게 되었다.

쇼핑몰을 구축하기 편하다는 강점과 네이버 내에서 모든 활동들이 이루어져서 네이버의 고객을 확보할 수 있다는 측면과 여러 가지 장점으로 보았을 때 스마트스토어를 통해 창업하는 사람들이 앞으로 더욱 늘어날 것으로 전망된다.

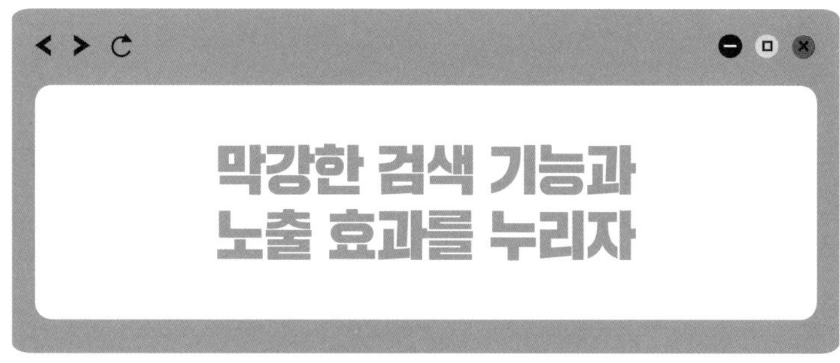

막강한 검색 기능과 노출 효과를 누리자

여름이 되어 '반팔 티셔츠'가 사고 싶다면? 네이버 검색창에 반팔 티셔츠를 검색하고 네이버쇼핑 영역으로 가서 반팔 티셔츠를 비교한 다음, 마음에 드는 것을 클릭하고 네이버페이로 결제하면 된다. 다른 사이트로 이동하거나 쇼핑몰에 새롭게 가입할 필요도 없다. 네이버에서 즉시 검색하고 결제까지 이루어진다. 네이버 스마트스토어에서 제품을 구매했기에 가능한 일이다.

네이버쇼핑의 가장 큰 장점은 막강한 검색 기능이다. 여론집중도조사위원회에 따르면 네이버의 검색 점유율은 87.2%라고 한다. 예를 들어 '공기청정기'를 사기 위해 인터넷 검색을 하는 소비자 10명 중 9명은 네이버를 이용한다는 뜻이다. 스마트스토어는 이런 네이버쇼핑에 다이렉트로 입점할 수 있는 서비스다.

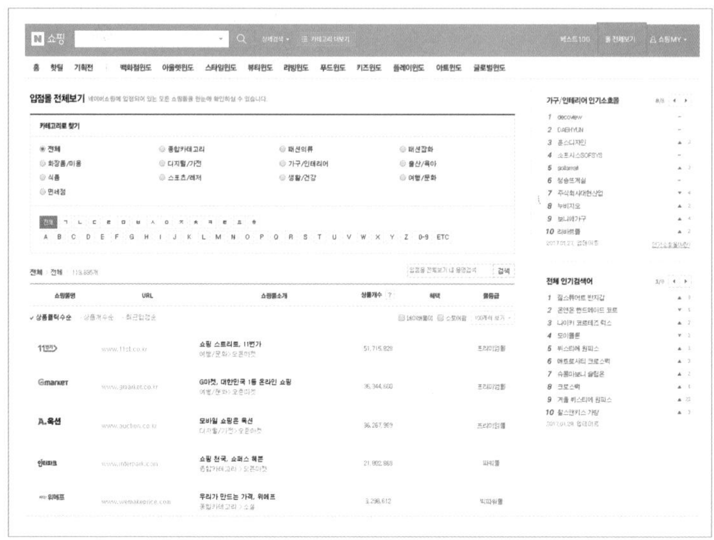

네이버쇼핑에서 '몰 전체보기'를 클릭하면 가입된 모든 쇼핑몰을 확인할 수 있다.

네이버쇼핑의 진화

스마트스토어를 이해하기 위해서는 먼저 네이버쇼핑에 대한 이해가 필요하다. 네이버쇼핑 영역에서 오른쪽 상단을 보면 '몰 전체보기'라는 것이 있다. 이 메뉴를 클릭하면 입점되어 있는 온라인 쇼핑몰들을 볼 수 있는데, 약 11만 개의 온라인 쇼핑몰이 있다.

온라인 쇼핑몰이라고 하면 오픈 마켓, 소셜커머스, 종합몰, 개인 쇼핑몰 등등 종류가 다양하다. 이런 다양한 쇼핑몰들이 네이버쇼핑 영역에 입점이 되어 있는 것이다. 스마트스토어는 네이버쇼핑 영역에 입점되어 있는 하나의 온라인 마켓이지만 네이버에서 만든 서비스라는 데 큰 의미가 있다.

네이버쇼핑의 과거 이름은 '지식쇼핑'이었다. 지식쇼핑이란 이름에서 알 수 있듯이 이곳의 기능은 쇼핑에 대한 지식을 전달하는 영역이었다. 대중들에게 지식쇼핑은 온라인 쇼핑몰에서 파는 모든 제품들을 비교해볼 수 있는 곳임과 동시에 가격을 비교하는 영역으로 알려져 있었다.

그러다 2016년도에 지식쇼핑을 네이버쇼핑으로 이름을 변경하면서 변화가 있었다. 가장 큰 변화는 네이버쇼핑 영역에 오프라인 매장이 입점할 수 있는 '샵윈도' 코너를 만든 것이다. 지식쇼핑에 입점되어 있는 모든 쇼핑몰의 가격을 비교하는 것을 넘어 온·오프라인에서 판매하는 모든 상품을 비교하는 영역으로 진화한 것이다(샵윈도에 대해서는 뒤에서 더 자세히 설명하겠다).

이는 온라인 쇼핑몰들끼리의 경쟁이 아닌 오프라인 판매자들과도 경쟁해야 함을 의미한다. 참고로 필자는 이런 유통 환경의

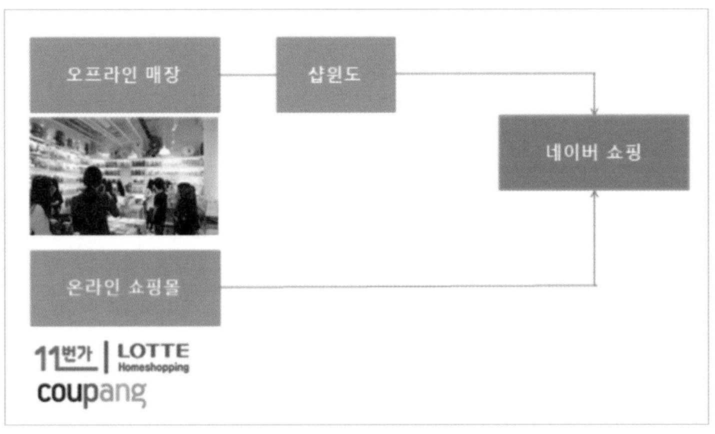

네이버쇼핑의 오프라인 매장 입점 코너인 샵윈도는 온라인 쇼핑의 판도를 바꿨다.

변화로 온·오프라인의 경계는 앞으로 더 무너질 것이라고 생각한다.

네이버쇼핑과 스마트스토어의 관계

"스마트스토어는 네이버쇼핑이 아닌가요?"라는 질문을 하는 사람들이 많다. 이런 질문을 하는 이유는 스마트스토어센터에 가입한 뒤 등록한 상품이 네이버쇼핑 영역에 보여지기 때문이다. 그래서 '스마트스토어=네이버쇼핑'이란 생각을 하는 사람들이 많은데 스마트스토어는 네이버쇼핑 영역에 입점되어 있는 온라인 마켓 중 하나일 뿐이다. 기호화하여 표현하자면, '스마트스토어=네이버쇼핑'이 아닌 '스마트스토어<네이버쇼핑'이다.

그러나 스마트스토어가 네이버에서 만든 서비스이다 보니 네이버쇼핑 영역에 입점되어 있는 다른 마켓 상품과 스마트스토어를 통해서 상품을 등록했을 때 보이는 것에 차이가 있다.

판매자가 G마켓에 입점해서 상품을 등록했다고 가정해보자. G마켓은 네이버쇼핑과 제휴를 맺은 상황이므로 판매자가 G마켓에 상품을 등록한 순간 네이버쇼핑 영역에 판매자가 등록한 상품이 보이게 된다. 다만 G마켓에 등록한 판매자의 상품은 네이버쇼핑에서 판매자의 이름이 아닌 G마켓이라는 이름으로 노출된다. 그리고 소비자가 제품을 구매하고 싶어 이를 클릭하면 G마켓으로 연결된다. 즉 물건을 구매하고 싶은 소비자는 네이버쇼핑에서 제품을 비교하고 G마켓으로 가서 물건을 구매해야 된다.

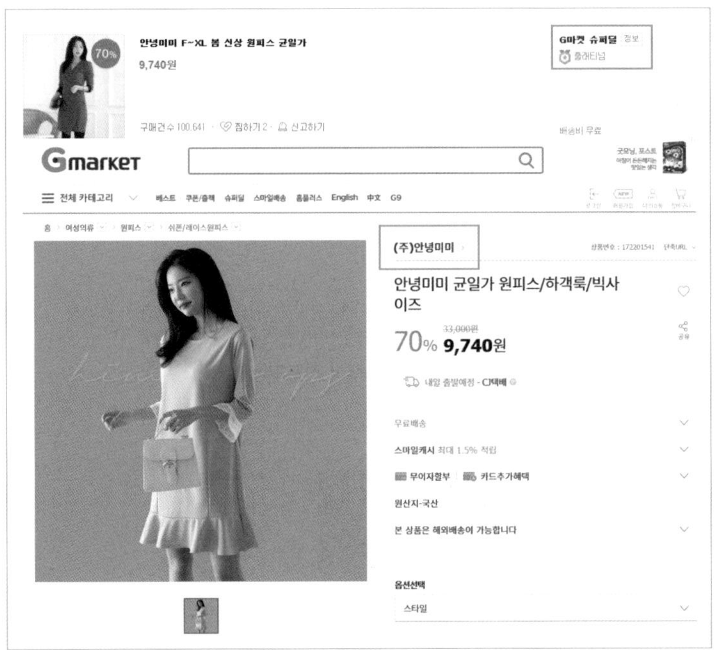

'안녕미미'란 쇼핑몰에서 G마켓에 원피스를 등록하면 네이버쇼핑에서 검색되는데 이때 판매자는 G마켓으로 게재된다. 또한 이를 구매하기 위해 클릭하면 G마켓으로 이동한다.

이번엔 판매자가 스마트스토어에 입점했다고 가정해보자. 스마트스토어에 입점해서 상품을 등록하면 네이버쇼핑 영역에서 어떻게 보일까?

이때는 다음 페이지 이미지처럼, 상품을 등록한 쇼핑몰 이름인 '원피스총각'이 노출된다. 그리고 이 상품을 클릭하면 다른 사이트가 열리는 것이 아니라 네이버에 머무른 채 자연스럽게 쇼핑을 이어갈 수 있다.

G마켓에 입점해서 내 상품을 등록하면 네이버쇼핑에 내 상품

스마트스토어에 상품을 등록하는 경우 쇼핑몰 이름이 그대로 게재된다. 클릭을 해도 해당 쇼핑몰로 이동하는 것이 아니라 네이버 내에서 구매가 이뤄진다.

이 노출되기는 한다. 다만 G마켓과 네이버쇼핑이 제휴를 맺었기 때문에 판매자는 G마켓으로 표기된다. 그런데 스마트스토어에 등록을 하면 네이버쇼핑 영역에 상품과 함께 온전히 자신의 상표인 쇼핑몰 이름이 노출되는 것을 확인할 수 있다. 이 점이 바로 스마트스토어는 네이버쇼핑 영역에 다이렉트로 상품을 등록하는 서비스라는 것을 설명하는 예시다.

판매자의 입장에서는 스마트스토어를 통해서 네이버쇼핑 영역에 노출되면 단순히 제품을 판매하여 매출을 올리는 것을 넘어, 자신의 쇼핑몰 이름도 알리면서 매출까지 일으킬 수 있으니 스마트스토어가 매력적으로 느껴질 수밖에 없다.

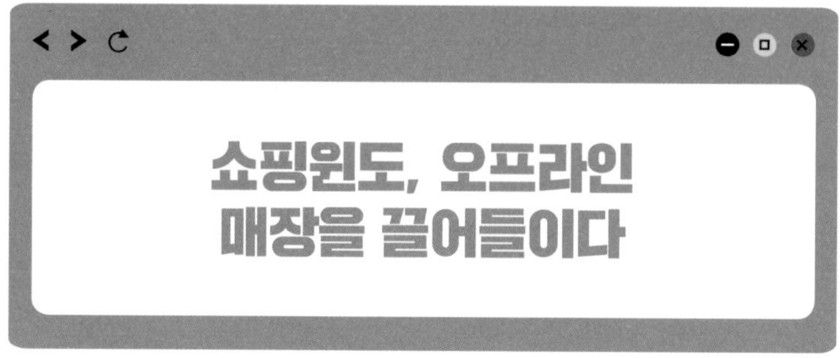

쇼핑윈도, 오프라인 매장을 끌어들이다

워킹맘인 이아름 씨는 대형마트에서 직접 장보기가 힘들어 업무 중 짬을 내 온라인몰에서 고기, 채소, 과일 등을 주문한다. 늦어도 다음날이면 배송을 받을 수 있어 신선도 걱정도 없다. 온라인몰 장보기를 한 지 벌써 6개월인데, 시간적인 기회비용을 생각한다면 합리적인 쇼핑인 것 같아 늘 만족스럽다.

온라인 쇼핑몰에 들어선 오프라인 매장

언젠가 네이버쇼핑에서 옷을 사려고 검색하다가 옷을 소개하는 페이지에 쇼핑몰이 아닌 오프라인 매장 주소가 뜨는 걸 본 적이 있다. 순간 '잘못 본 건가?'라는 생각을 했다. 확인해보니 네이버에서 2014년 12월부터 선보인 오프라인 매장 플랫폼 '쇼핑윈도'라는 서비스였다.

처음에는 쇼핑윈도 코너에 입점할 수 있는 절차와 방법이 없었다. 네이버 담당자들이 직접 전국 각지의 괜찮은 오프라인 매장들을 찾아다니며 입점을 제안하는 형태였다. 현재 쇼핑윈도는 백화점윈도, 아울렛윈도, 스타일윈도, 디자이너윈도, 뷰티윈도, 리빙윈도, 푸드윈도, 키즈윈도, 펫윈도, 플레이윈도, 아트윈도 등 11개로 구성되어 있다.

소비 트렌드에 따라 진화

2017년 7월 소비자 조사 전문기관 '컨슈머인사이트'는 최근 낸 설문조사 결과에서 "대부분의 상품구매가 오프라인보다는 온라인을 통해서 이뤄지고 있었으나 식품·음료만은 예외"라고 하였다. 식품·음료는 여전히 오프라인이 온라인을 앞선 결과가 나온 것이다.

식품 중에서도 신선식품은 신선도가 생명이라 아직까지는 소비자의 직접적인 확인 없이는 인정받기 어렵다라는 뜻으로 해석될 수도 있다. 하지만 같은 조사에서 가공식품과 신선식품의 온라인 구매경험이 각각 28%, 22.2%로 나왔다. 이는 이미 적지 않은 소비자들이 온라인을 활용하고 있음을 보여주는 수치로 앞으로의 성장 가능성을 보여주는 조사 결과이기도 했다.

앞으로 성장 가능성도 높고 시장이 점점 커나가는 중이므로 온라인 마켓들은 신선식품 시장을 잡기 위한 노력을 하고 있다.

| 상품구입 경험 및 이용채널(7월 기준) |

(단위: %, 전체, n=4,000, 복수응답)

구분	구입 경험률	온라인 (A)	오프라인 (B)	Gap(A-B) %P
의류/잡화	76.1	56.0	36.1	19.9
식품/음료	74.6	34.3	57.4	-23.1
가공식품	68.5	28.0	52.0	-23.9
신선식품	62.3	22.2	49.8	-27.6
음료/주류	50.8	16.5	40.9	-24.3
생활용품	61.8	41.9	34.7	7.3
뷰티용품	51.9	39.6	23.4	16.2
가전/디지털 기기	32.6	25.6	12.4	13.3
문화/디지털 콘텐츠	30.8	27.0	9.1	17.9
건강식품	28.9	23.1	11.9	11.2
스포츠/레저/자동차 용품	26.2	20.7	10.8	9.8
여행 상품	21.0	19.3	3.9	15.4
가구/홈인테리어	12.6	9.8	5.7	4.1
유아동 용품	10.0	8.7	2.8	5.9

네이버 또한 마찬가지다. 2014년도에 새롭게 '푸드윈도'를 선보였다. 농산물 생산자와 소비자를 연결해주는 플랫폼인 푸드윈도는 산지직송 서비스다. 이를 이용한 농업 창업자의 성장으로 2016년 푸드윈도 판매만으로 월 거래액 1,000만 원 이상을 기록한 생산자는 70여 명으로 이 수치는 2015년에 비해 2배 가까이 신장한 수치다.

반려동물 시장 또한 2016년 2조 9,000억 원에서 오는 2020년에는 5조 8,100억 원에 육박할 것이라 전망할 정도로 시장 성장 가능성이 높은 시장이다.

농림축산식품부와 산업연구원에 따르면 국내 반려동물 보유 가구 비율은 2010년 17.4%에서 2015년 21.8%로 5년간 4.4%포인트 증가했다고 한다. 관련 시장의 규모는 2020년에는 6조 원에 육박할 것으로 전망되며 일명 '펫코노미'라는 신조어까지 만들어졌다. 이에 따라 네이버쇼핑윈도에서도 2017년 펫윈도를 별도로 만들어서 활성화시키고 있다.

이 외에 결혼을 하지 않고 혼자 사는 혼족, 일명 키덜트족이 증가하면서 플레이윈도가 신설되었다. 아직까지 다른 쇼핑윈도에 비해 진입장벽이 낮은 편이다. 아트윈도는 문화생활과 관련된 전시, 갤러리, 공연에 관련된 정보를 볼 수 있고 예매할 수 있는 코너이다. 이렇듯 앞으로도 쇼핑윈도는 점점 카테고리를 넓혀가며 많은 서비스를 통합적으로 다루는 영역으로 진화될 전망이다.

쇼핑윈도 입점 기준

최근 쇼핑윈도는 과거처럼 네이버 담당자가 찾아다니며 입점시키는 형태가 아니라 입점 제안 신청을 해서 승인이 되어야만 가입할 수 있는 곳이 되었다. 쇼핑윈도에 입점을 원하는 판매자는 스마트스토어센터에 가입해 입점신청서를 제출해야 한다.

입점신청서를 제출하여 네이버 담당자들이 검토해서 통과가 되면 쇼핑윈도에 오프라인 샵에 대한 정보와 제품정보를 등록할 수 있다. 네이버 담당자들이 쇼핑윈도 입점 심사 시 가장 중요하게 여기는 기준은 기존 입점되어 있는 업체와의 차별점이다.

차별점을 보는 기준은 다음과 같다.

- 기존에 입점되어 있는 업체에는 없는 아이템
- 가격을 다른 업체보다 싸게 공급할 수 있는지
- 매장의 콘셉트가 독특한지

아직 입점하지 못한 업체들이 있다면 지금이라도 관심을 가지고 입점해보길 바란다.

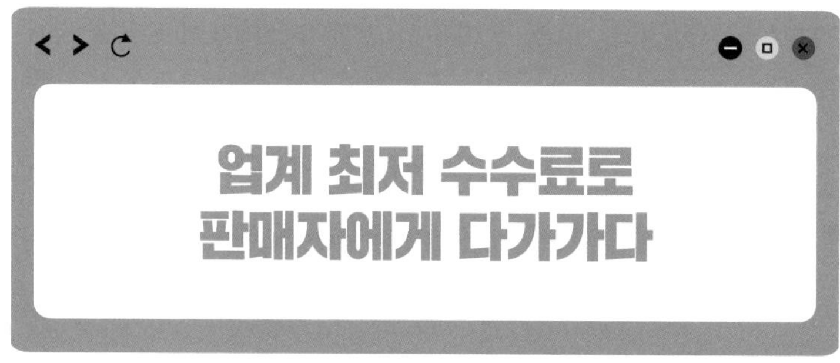

업계 최저 수수료로
판매자에게 다가가다

현재 온라인 마켓 내에서 스마트스토어 수수료는 업계 최저 수준이다. 업계 최저 수수료가 되기까지는 나름 사연이 있었다.

스마트스토어의 변천사

네이버 스마트스토어는 2012년 '샵N'이라는 이름으로 시작해 출시된 지 6년이 넘은 서비스다. 샵N은 '샵네이버'의 줄임말로, 네이버 내에 나만의 샵을 차리라는 뜻이다. 2012년 샵N이라는 이름으로 등장했을 때 네이버에서 내놓은 서비스인 만큼 업계에서 큰 파장을 일으킬 거라 예상했지만 반응은 생각보다 차가웠다. 이유는 여러 가지가 있었지만 그중에서도 가장 큰 이유는 판매자 입점에 대한 기준과 수수료에 대한 부분이었다. 기존 오픈 마켓보다 수수료를 높게 책정해서 판매자들로부터 외면을 받은 것이다.

이에 네이버는 2014년 6월 샵N을 '스토어팜'이라는 이름으로 변경하면서 서비스를 개편했다. 기존 샵N이 네이버 내에 나만의 샵을 차리는 형태의 서비스라면 스토어팜은 상품등록서비스였다. 샵을 차리는 것이 아닌 등록할 상품 하나만 가지고 있어도 바로 진입이 가능한 마켓으로 재탄생한 것이다. 기존 오픈 마켓인 11번가, G마켓, 옥션 등과 유사한 형태였다.

네이버지식백과에 따르면 오픈 마켓이란 "개인 또는 소규모 업체가 온라인에서 직접 상품을 등록해 판매할 수 있도록 한 전자상거래 사이트"다. 판매할 상품이나 서비스가 있다면 누구나 판매자가 될 수 있다는 개념이다. 숍을 차리는 것보다 올릴 상품만 있으면 등록이 가능한 스토어팜은 소상공인들에게 접근성이 더 쉬워졌다는 인상을 주었다.

스마트스토어의 수수료 체계

네이버는 '스토어팜'으로 변경한 이후 수수료를 12~15%에서 1~10.74%로 대폭 낮췄다. 그리고 스토어팜에서 개편한 '스마트스토어'도 스토어팜의 저렴한 수수료 체계를 그대로 이어갔다.

스마트스토어의 수수료 구조는 크게 판매 수수료와 결제 수수료로 되어 있다. 판매 수수료는 스마트스토어에 상품을 등록하면 네이버쇼핑 영역에 연결되어 상품이 노출되는데, 고객이 네

| 온라인 마켓별 특징과 수수료 |

	숍인숍						자체 쇼핑몰
	오픈 마켓	소셜커머스	홈 쇼핑몰	전문몰	백화점몰	스마트 스토어	
정의	누구나가 다 판매자가 될 수 있는 몰	트위터나 페이스북 등 소셜네트워크 서비스(SNS)를 이용한 전자상거래의 일종으로 소셜 쇼핑(social shopping)이라고도 함.	구매자가 집에서 텔레비전, 상품 안내서, 인터넷 따위를 보고 상품을 골라 전화나 인터넷을 통하여 사는 통신 판매 방식으로 판매하는 몰	특정 카테고리 제품만을 전문적으로 파는 몰	오프라인 백화점을 온라인에 그대로 옮겨놓은 몰	네이버에서 만든 상품등록 서비스	개인이나 회사가 독자적으로 운영하는 몰
종류	G마켓, 11번가, 옥션, 인터파크	티몬, 쿠팡, 위메프 등	CJ mall, 홈앤쇼핑, GS shop, 롯데i몰, 현대홈쇼핑 등	고양이 전문몰, 청바지 전문몰 등	현대H몰, 롯데닷컴, 이마트몰		카페24, 고도몰, 메이크샵 등 쇼핑몰 구축 솔루션을 통해 개설
장점	진입 장벽 낮음, 가격 경쟁에서 유리한 상품의 경우 매출 증대 유리	소셜을 기반으로 하여 확산 용이, 오프라인 매장 홍보 코너 별도 운영	타깃층이 맞는 상품에서는 브랜드 향상 효과	특정 제품만을 전문적으로 취급하여 전문성 향상		네이버 쇼핑과 연계, 네이버 내에 있기 때문에 네이버 유저가 내 고객, 쇼핑몰 구축이 쉬움	쇼핑몰 고객이 전부 내 고객
단점	고객DB 확보 어렵고, 광고 경쟁 치열, 판매자 광고 계좌수 한계	카테고리 담당자와 컨택해야 입점 가능	찾는 고객층이 맞지 않으면 매출 향상의 어려움	카테고리 확장이 용이하지 않음		네이버 내에서 고객 유치, 쇼핑몰 구축틀이 심플	고객 유치를 위한 마케팅 비용
수수료	8~12%	18~30% (조율하기 나름)	18~30% (평균)	몰별로 정책 상이	18~30% (평균)	결제 수수료, 판매 수수료	카드 수수료 외엔 없음

이버쇼핑 영역에 노출된 상품을 보고 상품을 구매하는 경우 네이버의 도움을 받았다고 판단되어 책정되는 수수료다. 대부분의 카테고리는 2%이고 e쿠폰/모바일상품권 카테고리는 5%, 여행/레저 이용권 카테고리는 7%이다. 그리고 결제 수수료는 신용카드 3.74%, 계좌이체 1.65%, 휴대폰 결제 3.85%, 네이버캐시 3.74%, 보조결제 3.74%, 가상계좌(무통장 입금) 1%로 최대 1건에 275원(VAT 포함)이다.

이것이 궁금해요

Q1. 네이버쇼핑에서 구경하다 신용카드로 결제해서 구매했다면 판매자가 부담해야 하는 수수료는 몇 퍼센트인가요?

A. 여기서 중요한 건 고객이 네이버쇼핑에서 구경하다 물건을 구매했다는 점입니다. 네이버쇼핑을 통한 유입이니 네이버의 도움을 받아 물건이 판매된 것입니다. 이럴 경우 판매 수수료 2%가 발생합니다. 그리고 신용카드로 결제했으니 수수료가 3.74%입니다. 최종 수수료는 2%(판매 수수료)와 신용카드 수수료(3.74%)를 더해서 5.74%입니다.

Q2. 인스타그램에서 광고 게시물을 보다 제품이 맘에 들어서 제품을 클릭하니 스마트스토어였습니다. 핸드폰 결제로 제품 구매를 완료했습니다. 이럴 경우 수수료는 얼마인가요?

A. 고객의 유입 경로가 네이버쇼핑이 아닌 인스타그램입니다. 따라서 판매 수수료가 발생하지 않아 판매자는 결제 수수료만 내면 됩니다. 결제 수단이 핸드폰 결제이니 수수료는 3.85%입니다.

Q3. 요즘 오픈 마켓이 수수료가 올라갔다고 하던데, 그래서 스마트스토어 쪽으로 눈을 돌리는 판매자들이 많은 건가요?

A. 업계 관계자의 말에 따르면 몇 년 전까지만 해도 네이버 가격 검색을 통해 유입되는 고객의 비중이 10%대에 불과했는데, 최근 20~30%대까지 높아져 오픈 마켓 사업자가 네이버에 지불하는 수수료 합계는 연간 1,000억 원 수준이라고 합니다.

네이버쇼핑과 제휴를 맺고 있는 온라인 마켓들은 잠재적인 경쟁자인 네이버에 상품검색 데이터베이스를 제공하는 것은 물론, 마케팅 수수료도 제공하고 있습니다.

예를 들어 네이버쇼핑 영역을 통해 G마켓으로 고객이 유입되어 G마켓에서 고객이 물건을 샀다고 가정해보겠습니다. 이런 경우 G마켓 입장에서는 네이버의 도움을 받았기 때문에 중계 수수료를 내야 합니다. 그 수수료가 2%인데 지금까지는 1%는 G마켓, 1%는 판매자가 부담했습니다. 하지만 최근에는 수수료를 온전히 판매자에게 부담하도록 정책이 개편되었습니다. 즉 판매자가 2% 수수료를 전부 부담하는 것입니다.

수수료 자체를 인상한 것은 아니지만 오픈 마켓에서 부담하던 수수료를 판매자가 부담하면서 판매자 입장에서는 수수료가 오른 셈입니다. 그러던 중 네이버에서 스마트스토어를 오픈해 비교적 저렴한 수준의 수수료 제도를 운영하다 보니 스마트스토어에 매력을 느끼는 판매자들이 많아진 것입니다.

스마트스토어에 내 가게 만들기

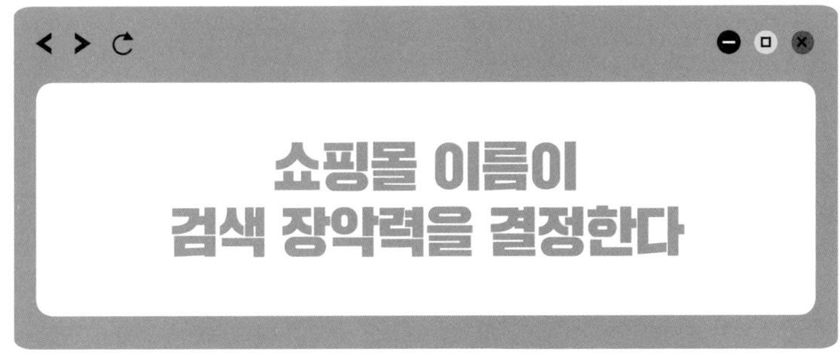

쇼핑몰 이름이 검색 장악력을 결정한다

앞서 스마트스토어의 시작과 그 의미에 대해 알아보았다. 네이버라는 강력한 마케팅 도구는 이제 강력한 유통채널이 되었다. G마켓, 11번가 등 유명 오픈 마켓과 소셜커머스는 모두 혼란에 빠졌지만 일반 판매자에게는 오히려 기회가 온 것이다. 새롭게 구축된 온라인 유통채널인 스마트스토어를 잘 이용하면 이익을 높일 수 있다.

스마트스토어를 시작하려면 사업자등록증을 정식으로 발급받고 시작하는 방법과 그렇지 않은 방법이 있다. 보다 본격적이고 수월하게 판매를 진행하기 위해서는 사업자등록증을 발급받는 것을 추천한다.

사업자등록증 발급 전 확인 사항

필자가 자주 받는 질문 중 하나가 "사업자등록을 하지 않고 개인판매자로 활동하면 세금을 덜 내지 않냐"라는 것이다. 물론 사업자등록을 하지 않고도 판매를 시작할 수 있다. 하지만 매출액이 많아지면 사업자등록을 낸 판매자보다 오히려 세금을 더 많이 내게 된다. 따라서 사업 초창기에는 개인판매자로 쇼핑몰을 운영하더라도 지속적으로 판매를 이어가고 싶다면 사업자등록을 꼭 하라고 권하고 싶다.

사업자등록증을 발급받기 위해서는 사업자에 관한 정보를 세무관서에 신고하여 등록하는 사업자등록 절차를 거쳐야 한다.

필자는 처음에 사업을 시작할 때 별 생각 없이 사업자등록증을 내러 갔었다. 사업자등록증을 내는 것 자체는 어려운 일이 아니다. 하지만 스마트스토어에 가입하기 위해 사업자등록증을 만들 때는 각 항목이 의미하는 바를 잘 파악해두어야 한다.

사업자등록증에 기재하는 항목은 사업자 유형, 회사명, 주소지, 업종, 업태 등이다. 각 항목을 먼저 살펴보도록 하자.

사업자 유형

사업자의 유형이 중요한 이유는, 유형에 따라 내는 세금의 액수가 달라지기 때문이다. 사업자의 유형은 크게 개인사업자와 법인사업자로 나뉜다. 그중에서도 개인사업자는 세금을 납부하는 형태에 따라 일반사업자와 간이사업자로 다시 나뉜다.

국세청

사 업 자 등 록 증

(법인사업자)

등록번호 : 211-88-93015

법인명(단체명) : 주식회사 비즈온컴퍼니

대 표 자 : 고아라

개 업 연 월 일 : 2013 년 04 월 08 일   법인등록번호 : 110111-5100807

사업장 소재지 : 서울특별시 강남구 테헤란로25길 20, 14층 1402호(역삼동, 역삼현대벤쳐텔)

본 점 소 재 지 : 서울특별시 강남구 테헤란로25길 20, 14층 1402호(역삼동, 역삼현대벤쳐텔)

사 업 의 종 류 : 업태 서비스   종목 기업교육, 온라인교육
서비스   엔터테인먼트업, 강사에이전시업

발 급 사 유 : 정정

사업자 단위 과세 적용사업자 여부 : 여( ) 부(V)

전자세금계산서 전용 전자우편주소 : mytoe7@hometax.go.kr

2017 년 01 월 13 일

역 삼 세 무 서 장

국세청

사업자등록증

법인사업자는 매출액에 상관없이 여러 사람이 함께 자본을 출자하여 사업자등록을 내는 것을 의미한다. 과거에는 법인 출자금이 정해져 있어 법인사업자 등록을 하기가 어려웠지만 지금은 출자금에 대한 규정이 없어졌다. 이 책은 네이버 스마트스토어에서 쇼핑몰을 운영하는 개입사업자가 대상이므로 개인사업자에 관한 부분만 언급하겠다.

간이사업자와 일반사업자를 구분하는 기준은 연간 매출액 4,800만 원이다. 연간 매출액이 4,800만 원 미만이면 간이사업자, 이상이면 일반사업자를 내면 된다.

물론 매출액이 얼마가 될지는 사업을 시작하기 전에는 알 수 없다. 사업자등록을 하는 당사자가 예측하거나 사업 시작 시 목표를 정한다. 그러나 어떤 사업자가 사업을 시작하면서 사업이 잘 안 되리라 생각하겠는가. 다들 높은 목표치를 세우고 사업이 잘될 것이라는 전제하에 시작할 것이다. 그래서 대부분 일반사업자를 선택한다.

<table>
<tr><th colspan="2">사업자 유형</th><th>대상자</th><th>세금계산서</th></tr>
<tr><td rowspan="2">개인사업자</td><td>간이사업자</td><td>연간 매출액이 4,800만 원 미만
예상 사업자</td><td>발급 불가</td></tr>
<tr><td>일반사업자</td><td>연간 매출액이 4,800만 원 이상
예상 사업자</td><td>발급 가능</td></tr>
<tr><td colspan="2">법인사업자</td><td>다수의 사람이 자본을 출자하여
설립한 사업자</td><td>발급 가능</td></tr>
</table>

하지만 사업은 현실이다. 목표는 높게 잡아도 되지만 사업자 유형은 세금과 직결되는 부분이기 때문에 최대한 절세를 하는 쪽으로 추천한다(사업자 유형에 따른 세금과 관련된 부분은 뒤에서 자세히 언급하겠다).

회사명

필자는 여러 번의 사업자등록을 한 경험이 있다. 그런데 사업자등록을 하면서 회사명에 대해서 깊게 생각해본 적은 없었던 것 같다. 한번은 이랬던 적도 있었다. 드라마 <아이리스>가 한창 방영 중이었을 때 사업자등록증을 내러 가서 회사명에 '아이리스'라고 기재했다. 이유는 <아이리스>가 유행이고 내가 좋아해서였다. 시간이 지나고 생각해보니 참 웃긴 일이었다.

사업을 계속하면 할수록 회사명을 짓는 게 중요한 일임을 깨닫게 된다. 내가 알리고자 하는 제품 브랜드명 또한 매우 중요하다. 아기가 태어나면 좋은 이름을 지어주려고 하듯이 사업을 시작할 때도 회사명을 심사숙고하여 지어야 한다. 이름만 듣고도 어떤 회사인지 바로 연상될 수 있는 이름이 가장 좋다.

그런데 좋다고 생각한 이름은 이미 누군가가 사용하고 있는 경우가 많다. 그만큼 경쟁자가 많다는 얘기다. 스마트스토어에서는 쇼핑몰을 쉽게 만들 수 있기 때문에 진입장벽이 낮다. 그렇기 때문에 스마트스토어를 활용해서 창업하는 판매자들이 점점 증가하고 있다.

생각하고 있는 회사명을 네이버에서 검색했을 때 경쟁자가 많지 않을수록 좋다. 필자는 이를 '검색 장악력'이라고 표현한다. 검색 장악이 빠르고 쉬운 쪽을 택하는 것이 마케팅을 할 때 유리하다.

얼마 전 수강생 중에 여성의류 쇼핑몰을 하는 분이 스마트스토어 이름을 고민하며 상담을 요청해왔다. 여성의류 중에서도 하체 비만인 여성들을 위한 쇼핑몰을 운영하고 싶다고 했다. 여러 이름을 적어왔는데 다음과 같았다.

코끼리다리, 코끼리레그, 엘리펀트레그, 빅레그, 알타리

네이버창에 '코끼리다리', '빅레그', '코끼리레그' 등을 검색해 보니 이미 비슷한 이름을 쓰는 곳들이 너무 많았다. 특히 '코끼리다리'는 병원에서 광고 키워드로 많이 사용하고 있었다. '알타리'는 알이 있는 굵은 다리라는 의미로 이름을 들으면 재미있기도 하고 각인되기 쉽지만 아쉽게도 경쟁자는 김치 판매자였다. 이 이름을 쓰려면 의류 판매자와 싸워보기도 전에 김치 판매자부터 이겨야 한다. 상상만 해도 지칠 일이다.

고민하는 수강생에게 '엘리펀트레그'를 추천했다. 엘리펀트레그로 검색하니 '검색 결과가 없습니다.'라는 문구가 떴기 때문이다. 이는 검색을 잡기가 쉽다는 뜻이 된다. 즉 스토어 이름을 엘리펀트레그로 정하면 엘리펀트레그 검색 시 내 스토어만 나오는

것이다. 당연한 얘기지만 같은 회사명을 쓰는 곳이 많을수록 고객들이 검색했을 때 내 쇼핑몰을 선택할 확률이 떨어진다.

대개는 사업자등록증에 낸 회사 이름으로 그대로 스토어 이름으로 사용하는 경우가 많다. 그래서 필자처럼 회사명의 중요성을 모르고 사업자등록증에 아무렇게나 회사명을 기재했다가 뒤늦게 알게 되어 스토어 이름을 변경할 수 없는지에 대한 문의를 많이 한다.

이럴 때에는 두 가지 방법이 있다. 첫 번째 방법은 사업자등록증상의 이름을 변경하러 다시 세무서에 가는 것이고, 다른 방법은 스마트스토어 이름을 꼭 업체명과 동일하게 작성하지 않아도 된다는 점을 활용하는 것이다. 예를 들면 필자의 경우 필자의 사업자등록증상의 회사명은 '비즈온컴퍼니'지만 스마트스토어 이름은 '비즈온에듀'이다. 그리고 스마트스토어 이름이 마음에 안 드는 경우 1회에 한해서 변경 가능하니 이 부분도 참고하기 바란다.

사업장 주소지

일반적으로 사무실을 임대해 해당 주소를 사업장 주소로 사용하지만, 집 주소를 사업장 주소지와 동일하게 사용하는 경우도 있다. 그런데 집 주소가 아파트인 경우 고객에게 판매자의 신뢰가 떨어질 수도 있고, 집 주소가 공개되는 것이 부담스러울 수 있다. 이럴 경우 가상의 주소지 임대 서비스를 활용해 사업장 주소지로 등록하면 도움이 된다. 인터넷 포털 사이트에 '가상 오피스'

또는 '비상주 사무실 임대'라고 검색하면 해당 서비스를 제공하는 업체들을 확인할 수 있다.

업태

업태는 사업을 할 때 어떻게 파는지 그 방법에 관련된 부분이다. 업태에는 도소매업, 서비스업, 건설업 및 제조업 등이 있다. 업태의 사전적 의미는 '영업이나 사업의 실태'를 뜻한다.

업종

업종은 사업을 통해 무엇을 판매할 것인가에 대한 부분이다. 사전적인 의미는 '직업이나 영업의 종류'를 뜻한다. 사업을 하려는 분야의 업종은 '통계분류포털사이트(https://kssc.kostat.go.kr:8443)'에서 '한국표준산업분류'에 들어가서 확인하면 된다. 사업자등록을 신청하러 가기 전에 자신이 하려고 하는 사업이 어느 업종에 해당되는지 살펴보고 가는 것을 추천한다.

전자상거래를 위한 통신판매업신고증

통신판매업신고증은 통신판매업을 하려는 경우에 꼭 필요한 신고서이다. 통신판매업신고증을 내기 위해서는 상호명, 소재지, 판매자 이름, 주민등록번호가 필요하다.

통신판매업신고증은 사업자등록을 한 뒤 관할 구청에서 발급받는다. 등록비는 4만 원이며 사업자등록증을 지참해야 발급을 받을 수 있다. 앞으로 전자상거래를 할 계획이라면 반드시 필요한 서류이다. 통신판매업신고증을 발급받고 나면 통신판매업 신고번호가 부여되는데, 스마트스토어 가입 시 기재해야 한다.

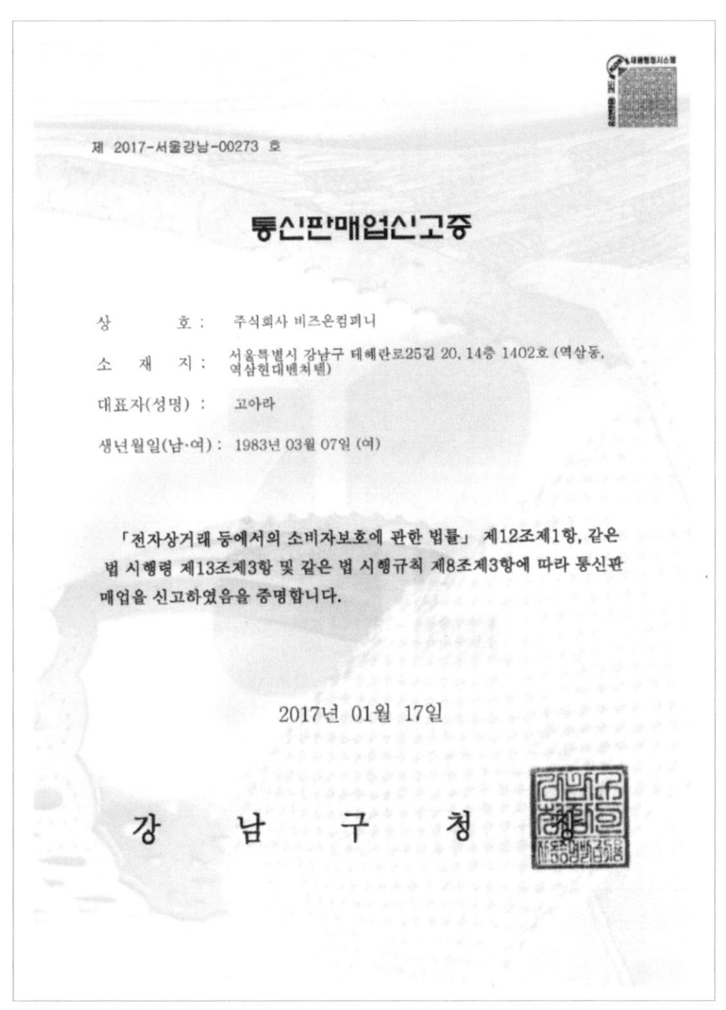

제 2017-서울강남-00273 호

통신판매업신고증

상 호 : 주식회사 비즈온컴퍼니

소 재 지 : 서울특별시 강남구 테헤란로25길 20, 14층 1402호 (역삼동, 역삼현대벤처텔)

대표자(성명) : 고아라

생년월일(남·여) : 1983년 03월 07일 (여)

「전자상거래 등에서의 소비자보호에 관한 법률」 제12조제1항, 같은 법 시행령 제13조제3항 및 같은 법 시행규칙 제8조제3항에 따라 통신판매업을 신고하였음을 증명합니다.

2017년 01월 17일

강 남 구 청

온라인 판매를 위해서는 반드시 통신판매신고증이 있어야 한다.

이것이 궁금해요

Q. 스마트스토어에서 판매를 시작해보고 싶은데, 사업자등록을 하지 않고도 시작할 수 있을까요?

A. 사업자등록 없이도 '개인판매자'로 판매 가능합니다. 개인판매자로 시작한 다음, 나중에 사업자판매자로 전환할 수 있습니다.

참고로 판매자 유형은 '국내 개인 판매 회원(사업자 없이 판매를 시작하려는 판매자)', '국내 사업자 판매 회원(개인사업자 혹은 법인사업자를 가지고 있는 판매자)', '국외 거주자 판매 회원(국내가 아닌 국외에서 제품을 사입해서 국내에서 판매하는 판매자)'으로 나누어집니다.

가입 시 필요한 서류는 아래 표와 같습니다.

분류		가입 시 필요 서류
국내 개인 판매 회원	일반	서류 불필요
	법정 미성년자 (만 19세 이하)	– 스마트스토어 법정대리인 동의서 원본 1부 – 가족관계증명서(또는 법적 대리인 증명 서류) 사본 1부 – 법정대리인 인감증명서 사본 1부
국내 사업자 판매 회원	개인사업자	– 사업자등록증 사본 1부 – 통신판매업신고증 사본 1부 – 대표자 인감증명서 사본 1부 – 대표자(또는 사업자) 명의 통장 사본 1부
국내 사업자 판매 회원	법인사업자	– 사업자등록증 사본 1부 – 통신판매업신고증 사본 1부 – 법인 인감증명서 사본 1부 – 법인 명의 통장 사본 1부 – 등기사항전부증명서 사본 1부

국외 거주자 판매 회원	개인 회원	– 신분증(시민권/영주권/여권 등) 사본 1부 – 가입자 명의 통장(또는 해외 계좌 인증 서류) 사본 1부 – 사업자 회원 신분증(시민권/영주권/여권 등) 사본 1부 – 사업자등록증 사본 1부 – 사업자 통장(또는 해외계좌 인증 서류) 사본 1부

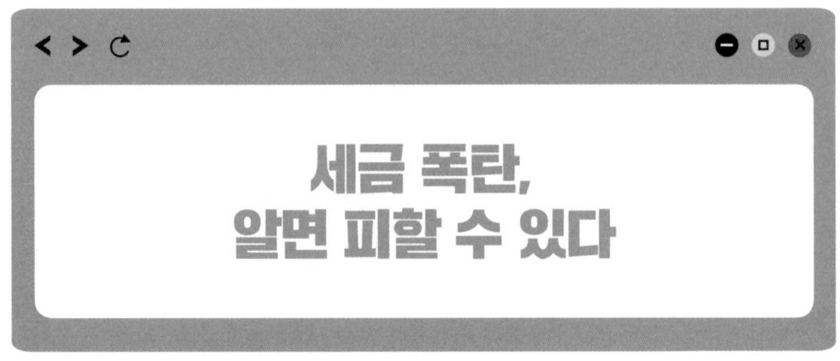

필자가 온라인 쇼핑몰을 시작하고 나서 1년 뒤 세금 폭탄을 맞은 적이 있다. 매출이 나올 때는 많이 나와서 기분이 좋았는데 1년이 지나고 세금을 낼 때 현실을 직시했다. 뭔가 허무하다는 생각도 들고 열심히 해서 매출이 나왔는데 들어가는 마케팅 비용과 제품 사입 비용 등을 다 계산하고 세금을 내고 나니 남는 건 별로 없었다.

아직도 세금에 대한 부분은 모르는 것들이 많다. 머리가 아프고 복잡한 부분이긴 하지만 판매를 시작하면 직면하는 부분이 바로 세금이다. 그러니 기본적인 것이라도 반드시 제대로 알아둘 필요가 있다.

세금의 종류

세금은 부가가치세와 종합소득세로 나누어진다. 부가가치세는 생산 및 유통과정의 각 단계에서 창출되는 부가가치에 대해 부과되는 조세이고, 종합소득세는 모든 소득을 종합하여 과세하는 조세다.

앞서 사업자등록증을 낼 때 사업자 유형에 따라서 세금을 내는 부분이 다르다는 설명을 했었다. 일반과세자와 간이과세자의 차이는 부가가치세와 관련된 부분이다.

부가가치세

부가가치세는 이익에 대해서만 부과하는 일반소비세로 '매출세액-매입세액=납부세액'이다. 부가가치세를 줄이려면 매입을 늘리는 것이 방법이다.

일반과세자는 부가가치세 신고 시 10% 세율이 있지만 물건이나 서비스를 구입하면서 받은 매입세금계산서상의 부가가치세액을 전액 공제받을 수 있다는 장점이 있다. 만약 매출보다 매입이 더 많은 경우 적자 상태가 되는데, 이럴 경우에는 환급금을 받을 수 있다.

사업 초기에 투자비용이 많아서 적자를 예상하고 사업자등록을 하는 경우에는 간이과세자보다는 일반과세자를 선택하는 것이 절세할 수 있는 방법이다.

간이과세자는 매출세액에서 혜택을 받을 수 있다. 하지만 일

| 업종별 부가가치세율 |

업종	부가가치세율
전기, 가스, 증기, 수도	5%
소매업, 재생용 재료수집 및 판매업, 음식점업	10%
제조업, 농 · 임,어업, 숙박업, 운송 및 통신업	20%
건설업, 부동산임대업, 기타 서비스업	30%

반과세자와 다르게 매입세액에서 5~30%만 공제받는다. 다만, 매출세액에서 얻는 세금혜택이 큰 편이라 상대적으로 일반과세자에 비해 세금을 덜 내게 된다.

간이과세자는 1년에 한 번씩 부가가치세 신고를 하므로 부가가치세와 관련해서 큰 부담은 없지만 거래처와의 거래 시 세금계산서를 발급할 수 없다는 단점이 있다. 일반사업자나 법인사업자의 경우 간이사업자와 거래했을 때 거래에 대한 매입세금계산서를 발급받을 수가 없어서 부가가치세와 관련해서는 불리하다.

부가가치세가 면제되는 사업자를 면세사업자라고 한다. 기초생활필수품(쌀, 과일, 생선, 고기), 국민후생용역 및 문화 관련 재화용역(도서, 신문 등)에는 부가가치세가 없다. 또한 영세사업자도 있다. 물건 가격에 0%의 세율을 적용하므로 '영세'라고 한다. 예를 들어 국내 제품을 외국에 파는 경우, 소비가 외국에서 이루어지므로 국내에서는 0%의 세율을 적용하고 물건이 소비되는 해당 국가의 세율을 적용한다.

| 개인(일반, 간이)사업자 부가가치세 과세기간 |

신고대상자	과세대상기간		신고납부기간
일반사업자	확정신고	1. 1~6. 30	7. 1~7. 25
	확정신고	7. 1~12. 31	다음해 1. 1~1. 25
간이사업자	1. 1~12. 31		다음해 1.1~1. 25

- 1년에 개인사업자는 2회 신고
- 간이과세자도 사업 부진자 등은 7. 1~7. 25까지 예정부과세액 납부와 신고 선택 가능

종합소득세

일반과세자와 간이과세자의 공통점은 종합소득세 신고에 대한 부분이다. 종합소득세란 개인에게 귀속되는 각종 소득을 종합해 하나의 과세 단위로 보고 세금을 부과하는 누진세 제도를 말한다.

모든 소득을 전부 합치진 않는다. 근로소득, 사업소득, 이자소득, 배당소득, 연금소득, 기타소득 등 6가지 소득을 한데 묶어 하나의 과세 단위로 보고 종합소득세를 부과한다.

간이사업자는 연 매출 4,800만 원 미만으로 예상해서 내는 사업자이기 때문에 종합소득세를 신고하지 않아도 된다고 착각하는 사업자들도 있다. 그러나 종합소득세는 일반사업자나 개인사업자 모두 동일하게 납부해야 한다. 최근 종합소득세 관련해서 세법이 개정되었다. 개정된 내용은 다음과 같다.

| 종합소득세 개정 세법 주요 내용 |

과세표준	세율
1,200만 원 이하	6%
1,200만~4,600만 원	15%
4,600만~8,800만 원	24%
8,800만~1.5억 원	35%
1.5억~5억 원	38%
5억 원 초과	40%

소득세 최고 세율은 '1억 5,000만 원 초과 38%'였으나 '5억 원 초과 40% 세율' 구간이 신설되었다. 대신 1억 5,000만~5억 원 구간은 38%를 유지한다. 현금영수증 의무 발급 대상 업종도 추가되어 이에 해당하는 사업자는 소득을 신고할 때 유의해야 한다. 변호사업, 한의원, 골프장 운영업 등 52개 업종은 건당 거래금액이 10만 원 이상이라면 소비자 요구가 없더라도 현금영수증을 발급해야 한다. 2017년 7월 1일부터는 출장음식 서비스업, 중고차판매업, 운동 및 경기용품 소매업, 스포츠 교육기관, 기타 교육지원 서비스업 등도 현금영수증을 의무로 발급하게 되었다.

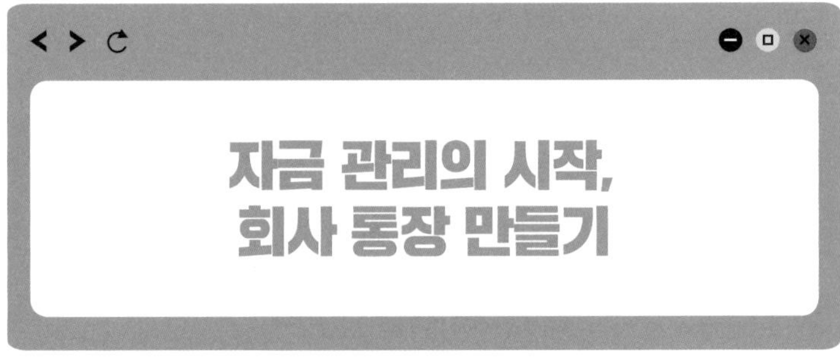

자금 관리의 시작, 회사 통장 만들기

사업자등록증, 통신판매업신고증을 만들었다면 회사 명의 통장을 개설할 차례다. 온라인에서 판매를 진행하다 보면 판매 금액을 정산받을 회사 명의 통장이 필요하다. 회사 명의 통장은 이후 자금관리를 위해서도 필요하다.

회사 명의 통장은 하나만 만드는 것이 아니라 여러 개 만들라고 권하고 싶다. 대포통장을 만드는 사례들이 많이 늘어나면서 요즘 은행에서 통장을 여러 개 개설해주지 않는다. 영업일 기준으로 20일이 지나야 또 다른 통장 개설이 가능하다.

이때 통장 개설 목적에 맞게 증빙서류를 준비해야 한다. 은행별로 증빙서류에 차이가 있을 수 있으니 개설하려고 하는 해당 은행에 먼저 증빙서류에 대해 문의해야 한다. 다음 페이지 표를

| 은행별 계좌 개설 증빙서류 예시 |

통장 신규 목적	증빙서류	
	신한은행	국민은행
급여 계좌	재직증명서, 근로소득원천징수영수증, 급여명세표 등	재직증명서, 근로소득원천징수영수증, 급여명세표 등
법인(사업자 계좌)	물품공급계약서(계산서), (전자)세금계산서, 재무제표, 부가가치세증명원, 납세증명서 등	물품공급계약서(계산서), 재무제표, 부가가치세증명원, 납세증명서 등
모임 계좌	구성원 명부, 회칙 등 모임 입증 서류	구성원 명부, 회칙 등 모임 업종 서류
공과금 이체 계좌	공과금 납입 영수증 등	공과금 납입 영수증 등
아파트 관리비 계좌	관리비 영수증 등	관리비 영수증 등
아르바이트 계좌	고용주의 사업자등록증(사본), 근로계약서, 급여명세표 등 고용 확인 서류	고용주의 사업자등록증(사본), 근로계약서 급여명세표 등 고용 확인 서류
사업자금 계좌	사업 거래 계약서 및 거래상대방의 사업자 등록증 등	사업 거래 계약서 및 거래 상대방의 사업자등록증 등
연구비 계좌	연구비 계약서와 지급 단체 사업자등록증 또는 증명서 등	연구비 계약서와 지급 단체 사업자등록증 또는 증명서 등
그 외의 경우	개설 목적을 확인할 수 있는 객관적 증빙서류 필요	개설 목적을 확인할 수 있는 객관적 증빙서류 필요

참고하길 바란다.

초반에는 지출 내역에 맞춰 개설하는 것을 추천한다. 지출 내역에는 크게 고정비용과 변동비용이 있다. 고정비용은 월세, 월급 등 매월 고정적으로 지출되는 항목을 뜻한다. 변동비는 제품 사입비나 소모품비 같은 그때그때마다 지출되는 금액과 주기가

| 지출별 통장 |

내역	내용
고정비 통장	월세, 월급 등등
변동비 통장	제품 사입비, 소모품비 등등
세금 통장	전체 매출액의 30% 정도(종합소득세, 부가가치세)

다른 항목들을 말한다.

기본적인 지출 항목 외에 하나 더 추가하면 바로 세금과 관련된 통장이다. 세금 통장을 분류해놓지 않으면 돈이 들어오는 대로 쓰다가 세금을 낼 때 힘들어하는 경우가 많다. 세금통장의 경우 부가가치세와 종합소득세를 고려해서 총매출액에서 30% 정도 넣어두는 것이 나중에 세금을 낼 때 부담을 덜 수 있다.

회사 통장은 크게 고정비, 변동비, 세금 통장 이렇게 3개를 기본적으로 개설하는 것을 권장한다. 항목에 맞게 통장을 개설해서 관리하다 나중에 세부적인 항목까지 통장을 분류해서 관리하는 것이 좋다.

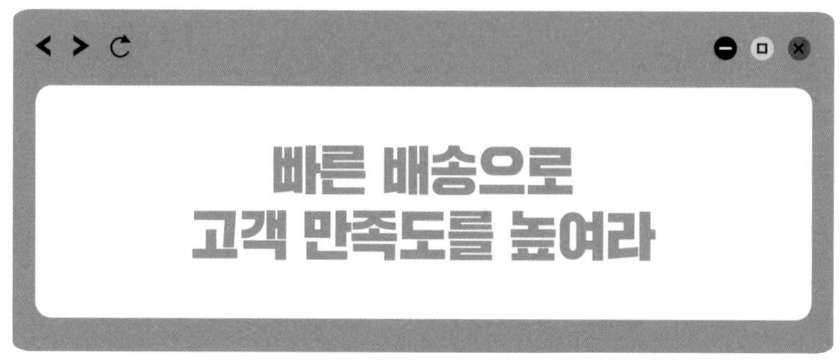

빠른 배송으로 고객 만족도를 높여라

온라인 판매를 할 때 택배사 선정은 매우 중요하다. 택배사는 최대한 회사에서 가까운 곳으로 선정하는 것을 권한다. 그래야 배송에 대한 리스크를 조금이나마 줄일 수 있다. 예를 들어 늦게 주문이 들어온 건이 있는데 내일까지 발송 처리를 해야 하는 경우 택배사가 회사 근처에 있다면 달려가서라도 처리를 할 수 있다. 물론 흔한 일은 아니긴 하지만 빠른 배송은 고객의 만족도를 더 높일 수 있다.

택배는 거래 건수가 많아지면 택배사와 정식으로 계약을 맺을 수 있다. 우체국, 드림택배, 롯데택배, CJ대한통운, 로젠택배, 한진택배, KG로지스 등과 계약해서 기본 택배사로 지정할 수 있다. 택배사마다 기본 택배 금액에 대한 부분과 계약 조건이 다르기 때문에 여러 택배사를 알아보고 비교해봐야 한다.

택배사를 계약하는 경우, 택배사 계약 정보를 판매자 정보에 등록한 후 '반품 수거 지시 서비스'와 '굿스플로 송장출력 서비스'를 이용할 수 있다. 굿스플로 송장출력 서비스는 구매자에 대한 정보를 입력하면 송장출력이 바로 되는 시스템이다. 굿스플로를 활용하면 판매자뿐 아니라 소비자도 배송에 대한 정보를 바로 확인할 수 있어 편리하다.

계약 택배사로 설정된 이후에도 택배사 계약코드 설정 정보 오류, 계약 상태 변경 등의 사유로 반품 수거가 원활히 이루어지지 않는 경우에는 언제든지 스마트스토어 제휴 택배사인 CJ대한통운으로 자동 변경될 수 있다. 이는 스마트스토어 판매자이기 때문에 받을 수 있는 혜택이다. 단, 반품에 관련해서만 해당된다.

택배사와 계약하면 빠르고 편리한 시스템도 이용할 수 있고 요금을 일반 택배비보다 낮춰서 계약하면 금상첨화다. 하지만 판매량이 많지 않은 시작 단계에서는 택배사 계약 자체가 쉽지 않다. 하지만 스마트스토어 판매자라면 최초 가입 신청 시 제휴 택배사인 CJ대한통운과 건당 2,500원에 거래가 가능하다.

처음 판매를 시작하는 판매자들은 이를 활용하면 배송비를 절감할 수 있을 것이다. 기본 또는 보조 반품 택배사를 등록한 후 혹시나 특정 상품은 사정상 지정된 택배사 외에 다른 택배사를 이용할 경우 해당 제품만 따로 반품 택배사를 설정할 수도 있다.

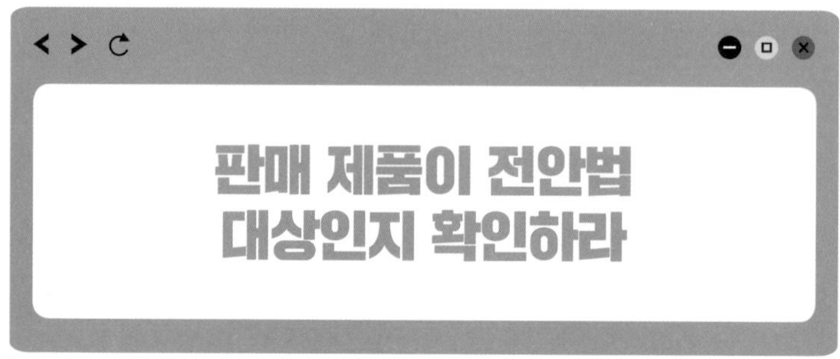

판매 제품이 전안법
대상인지 확인하라

2017년도 말에 가장 이슈가 되었던 사건 중 하나가 바로 전안법이다. 판매 환경에 부정적인 영향을 끼친다 하여 사업자들의 반발에 부딪혀 잠시 보류되었던 전안법이 가까스로 국회를 통과했다. '전기용품 및 생활용품 안전관리법(전안법)' 개정안 세부규정 또한 확정되어 2018년 7월 1일부터 시행되었다.

전안법이 판매자들 사이에서 이슈가 되었던 부분은 '안전기준 준수대상 생활용품' 카테고리가 추가된 부분이었다. KC 인증 적용 대상은 제조·수입·판매·대여·판매중개·수입대행 사업자이면 판매하고자 하는 제품이 전안법에 해당사항이 있는지부터 먼저 체크해봐야 한다.

23개 안전기준준수대상 생활용품 규제 완화

개정 전 전안법에서는 안전인증대상, 안전확인대상, 공급자 적합성확인대상 등 3단계로 관리했다. 개정된 전안법은 이 3개 카테고리 이외, 생활용품 중 위해도가 상대적으로 낮은 제품을 '안전기준준수대상 생활용품'으로 분류해 안전기준 규제를 완화했다.

당초 생활용품으로 전안법을 확대해 제품에 대한 안전기준을 너무 강화한 것이 아니냐는 비판을 받은 것을 고려해 개정된 전안법에서는 안전기준 규제를 완화한 것으로 보인다. 국가표준기술원에 따르면 2018년 7월부터 시행된 전안법에 포함된 안전기준준수대상 생활용품은 23개로 다음과 같다.

간이 빨래걸이, 안경테, 선글라스, 가정용 섬유제품, 가죽제품, 스테인레스 수세미, 양탄자, 물안경, 침대매트리스, 접촉성 금속장구, 가구(762mm 이상 서랍장 및 캐비닛 제외), 휴대용 경보기, 고령자 위치 추적기, 우산 및 양산, 벽지 및 종이장판지, 시각 장애인용 지팡이, 텐트, 반사 안전조끼, 고령자용 신발, 고령자용 휠체어테이블, 고령자용 지팡이, 고령자용 목욕의자, 화장비누 등이다.

안전기준준수대상 생활용품은 정부가 정한 안전기준에 적합하면 안전성 검증을 위한 제품시험 없이 제조·수입·판매가 가능하다. 단, 만 13세 이하가 사용하는 어린이용 섬유제품은 '어린이 제품 안전특별법'에 따라 앞으로도 반드시 제품시험을 거쳐 KC

| 안전관리대상 제품 분류 |

구분	마크	절차
안전인증대상	KC	제품시험 + 공장심사 ⇒ 인증 ⇒ 판매
안전확인대상	KC	제품시험 ⇒ 신고 ⇒ 판매
공급자적합성 확인대상	KC	제품시험 ⇒ 판매
안전기준준수대상 생활용품	없음	제품시험 의무 없음 ⇒ 판매

마크를 표시해야 한다.

안전기준준수대상 생활용품이 안전기준에 적합하지 않은 경우에는 개선, 파기, 수거, 판매중지 등의 처벌을 받을 수 있다. 또한 안전기준에 따른 표시사항을 표시하지 않는 경우에는 개선 또는 판매 중지 처분을 받을 수 있다. 제조업자 또는 수입업자는 500만 원 이하의 과태료 처분을 받는다.

전안법상 안전관리대상제품은 총 250개 품목이며, 제품의 위해도에 따라 4개의 카테고리로 나눠 안전관리를 달리한다. 안전관리대상제품 제조·판매·대여·구매대행·병행수입 사업자는 다음 사항을 지켜야 한다.

국가기술표준원 전기통신제품안전과에 따르면 안전기준준수

대상 생활용품에는 KC마크를 붙이지 않는다. KC마크를 붙일 경우 전안법상 처벌 대상은 아니지만, '표시·광고의 공정화에 관한 법률', '부정경쟁방지 및 영업비밀보호에 관한 법률'에 따라 과장 광고 등에 의한 과태료, 벌칙 대상이 될 수 있다. 오히려 KC인증마크를 받지 않아도 되는 안전기준준수대상 생활용품에 KC인증마크를 받는 것은 오해의 소지가 있으니 정해진 규정에 따르는 것이 좋겠다.

| 판매자 유형에 따른 전안법 준수 사항 |

판매자 유형	판매자 정의	전안법 준수 사항
제조업자 및 수입업자		– 안전인증대상 · 안전확인대상 · 공급자적합성확인대상 제품일 경우 안전성검증을 위한 시험을 실시하고, 제품 또는 포장에 KC마크 및 제품별 안전기준이 정한 표시사항을 표시한 후 출고 또는 통관 – 인터넷을 통해 제품을 판매하는 경우에는 안전 관련정보(KC마크, 인증번호, 제품명, 모델명, 제조업자명 또는 수입업자명)를 소비자가 알 수 있도록 해당 인터넷 홈페이지에 게시 – 안전기준준수대상 생활용품일 경우는 안전기준에 적합한 제품을 제조 또는 수입해야 하며, 제품 또는 포장에 제품별 안전기준이 정한 표시사항을 표시한 후 출고 또는 통관인 경우 KC마크를 붙여서는 안 됨.
구매대행업자	구매대행은 개인 사용 목적으로 소비자의 요청에 따라 주문·대금 지급 등의 절차를 대행해 해당 제품을 해외 판매자가 국내 소비자에게 직접 발송하도록 용역을 제공하는 것	– 구매대행이 가능한 제품은 '제품 또는 포장에 KC마크가 있는 제품'과 '제품 또는 포장에 KC마크가 없더라도 구매대행이 가능한 제품'으로 구분 – 인터넷을 통해 구매대행을 할 경우 제품 또는 포장에 KC마크가 없으면 ▲이 제품은 구매대행을 통해 유통되고 ▲'전기용품 및 생활용품 안전관리법'에 따른 안전관리대상 제품이라는 내용을 표시 – 제품 또는 포장에 KC마크가 있는 경우에는 위의 두 가지 표시 사항에 더해 ▲KC마크 도안 ▲안전인증번호 또는 안전확인신고번호 등을 함께 표시

병행수입업자	해외 상표권자가 생산 · 유통하는 제품(외국에서 적법하게 사용할 수 있는 권리가 있는 자에 의해 상표가 부착 · 배포된 상품)을 국내 전용 사용권자가 아닌 다른 자가 판매를 목적으로 수입하는 것	– 병행수입이라는 이유로 인증을 면제받은 병행수입제품을 인터넷을 통해 판매하는 경우 인터넷 홈페이지에 ▲이 제품은 병행수입되고 ▲'전기용품 및 생활용품 안전관리법'에 따른 안전관리대상 제품이라는 점 그리고 ▲KC마크 ▲안전인증번호 또는 안전확인신고번호 ▲제품명, 모델명 ▲제조업자명 등을 표시
판매업자 (통신판매업자 포함)		– 안전인증대상 · 안전확인대상 · 공급자적합성확인대상 제품일 경우는 KC마크 및 안전기준이 정한 표시사항이 표시된 제품을 판매 – 인터넷을 통해 제품을 판매하는 경우에는 KC마크 · 인증번호 · 제품명 · 모델명 · 제조업자명 또는 수입업자명 등 안전 관련 정보를 소비자가 알 수 있도록 해당 인터넷 홈페이지에 게시 – 안전기준준수대상 생활용품일 경우에는 제품별 안전기준이 정한 표시사항이 표시된 제품을 판매

1위 노출 키워드는 어떻게 다를까

네이버 하면 생각나는 단어는 바로 검색이다. 포털사이트인 네이버의 가장 큰 강점은 사람들이 키워드로 많은 정보를 탐색한다는 점이다. 스마트스토어는 네이버 내에 있는 서비스다. 따라서 스마트스토어를 잘 활용하기 위해서는 네이버의 강점인 검색을 잘 활용해야 한다.

고객의 입장에서 키워드를 생각하라

필자가 교육을 진행하면서 사업자들에게 꼭 한 번씩 던지는 질문이 있다.

"어떤 아이템을 판매하세요? 그 아이템을 찾기 위해서 고객들은 어떻게 검색하고 들어올까요?"

이 질문을 던졌을 때 바로 대답을 하는 판매자는 생각보다 많지 않았다. 필자도 마찬가지였다. 왜 그럴까? 아마도 고객의 검색어에 대해서 생각해본 적이 없어서가 아닐까 싶다.

판매자가 되면 키워드에 대한 활용도가 더 떨어지는 듯하다. 판매자들은 하루에도 몇 번씩 자신이 운영하는 가게 이름을 네이버 검색창에 검색해본다. 필자 또한 하루에 한 번 이상은 필자가 운영하고 있는 회사명인 '비즈온에듀'를 검색한다.

그렇다면 소비자들은 특정 가게 이름을 얼마나 검색해볼까? 소비자들은 특정 가게의 존재를 모르는 경우가 많기 때문에 처음부터 알고 검색하는 경우는 드물다. 대부분 쇼핑몰 이름이 아니라 자신이 사려고 하는 제품과 관련된 검색어를 입력해서 제품을 찾는다.

예를 들어 가을 원피스를 구매하기 위해서 제품을 찾는다고 하면 '가을 원피스'를 검색해서 나오는 제품을 찾아볼 것이다. 대부분 이렇게 자신이 원하는 상품을 찾다가 그 제품을 판매하는 가게 이름도 알게 된다.

여기서 우리가 생각해봐야 하는 것은 소비자들은 대부분 우리를 모른다는 것이다. 그들은 우리 가게 이름을 검색하고 들어오지 않는다는 것을 판매자들이 인지해야 한다. 그러므로 온라인 마케팅에서 우리 가게 이름을 알리기 위해서는 고객들이 내가 판매하는 상품 또는 서비스를 찾기 위해서 검색하는 '가을 원피스'와 같은 키워드를 잘 활용하는 것이 중요하다.

온라인상에서 어떤 목적을 담고 검색해보는 모든 단어를 검색어 또는 키워드라 부른다. 키워드는 고객의 니즈를 파악할 수 있는 중요한 단서이고 고객을 유입하기 위한 마케팅의 첫 시작점이다. 내가 키워드 중요성에 대해서 교육을 할 때 자주 듣는 말이 있다.

"그렇게 검색하는 사람이 있나요? 없을 것 같은데요?"

자신이 그렇게 검색하지 않는다고 해서 다른 사람들도 그럴 것 같다는 생각은 금물이다. 키워드는 곧 고객의 유입을 의미한다. 검색량이 많은 키워드를 쓸수록 고객유입이 늘어나고 검색량이 적은 키워드를 쓸수록 고객유입은 줄어든다. 고객유입에는 키워드 검색량만을 가지고 이야기하기에는 한계가 있지만 쉽게 이해를 돕기 위해 '키워드=고객의 유입'으로 이야기를 풀어볼 수 있다.

네이버 검색 정책에 맞게 키워드를 설정하라

판매자는 고객의 유입을 늘리는 마케팅을 하고 싶어 한다. 그래서 검색량이 많은 키워드를 활용하고 싶고 키워드 개수도 많이 활용하고 싶어한다. 현재 네이버 검색엔진 정책은 특정 키워드에 대한 검색 결과를 정확하고 빠르게 보여주고자 한다. 판매자는 검색량이 많은 키워드를 활용하고 싶어 하지만 네이버 검색엔진 입장에서는 이를 어떻게 받아들일까?

예를 들어 판매하는 상품이 피규어를 넣어서 진열할 수 있는 장식장이라고 가정해보자. 아크릴 소재로 되어 있다. 이 피규어 장식장을 등록하기 위해서 제품의 특징과 활용도에 대한 부분을 고려해서 등록이 가능한 키워드를 추출해봤다. 물론 아래의 키워드 외에 더 많은 키워드가 있지만, 빠른 이해를 돕기 위해 그중에 3개를 추출했다.

키워드	검색량(PC)	검색량(Mobile)
피규어장식장	3,100	7,690
레고장식장	1,030	3,420
아크릴장식장	1,100	2,230

출처 : 네이버 검색광고, 2018년 6월 3일 기준

제품 활용 부분과 관련해서 '피규어장식장'이라는 키워드, 그리고 제품의 소재와 관련해서 아크릴장식장이라는 키워드를 검색한 사람도 고객이 될 수 있기에 '아크릴장식장'도 넣었다. 그리고 레고 미니 피규어를 모으는 사람들도 고객이 될 수 있어 '레고장식장'이라는 키워드까지 넣었다.

피규어장식장을 판매하는 판매자 입장에선 자신이 판매하는 제품을 최대한 많이 노출하고 싶어 한다. 그래서 피규어장식장뿐만 아니라 레고장식장, 아크릴장식장 이렇게 검색하는 고객에게도 내 제품을 노출시켜서 보여주고 싶은 것이다.

하지만 지금 네이버의 검색엔진 정책은 사용자의 생각을 빨리 읽어내어 원하는 상품을 보다 빠르고 정확하게 찾아나갈 수

하나의 키워드에 집중한 제품이 더 상위에 노출된다.

있도록 도와 검색 불편을 해소하고자 한다. 사용자에게 편리함을 제공해 정보 콘텐츠 홍수 속에서 선택의 어려움을 해결하여 만족도를 높이고자 함이다. 그러다 보니 많은 키워드를 쓰는 것은 검색엔진이 그 상품에 대해서 정확하고 빠르게 판단하는 데 방해가 된다.

판매자가 상품명에 '피규어장식장', '레고장식장', '아크릴장식장'이라는 키워드를 전부 넣는 경우, 검색엔진은 상품에 대해서 피규어장식장으로 봐야 할지 레고장식장으로 봐야 할지 헷갈린다. '피규어장식장'이라는 키워드 하나만 넣어서 한 키워드로 검색엔진에 100점을 받을지 3개의 키워드를 넣어 33.3점을 받을지에 대한 문제이다. 점수가 낮으면 노출 순위가 낮아진다. 기억하자. 레고장식장이라는 키워드로 노출 순위가 높게 나오고 싶다면 레고장식장 키워드 하나만 쓰는 것이 좋다.

앞의 그림은 '레고장식장'을 검색했을 때의 결과다. 1위로 노출되고 있는 업체가 2위인 업체보다 리뷰 건수도 적고 '찜' 개수도 적음에도 더 상위에 노출되어 있다. 이유는 상품명에 작성한 키워드를 '레고장식장'이라는 키워드 하나에 집중했기 때문이다.

이것이 궁금해요

Q. 네이버에서 키워드로 인정하는 기준이 있나요? 예를 들어 피규어장식장이면 피규어라고 검색해도 나오고 장식장으로 검색해도 나오지 않을까요?

A. 이 부분을 설명하기 위해서는 키워드 종류 중에 단일 키워드와 통합 키워드에 대한 이해가 필요합니다. 단일 키워드는 하나의 키워드를 말하고, 통합 키워드는 두 개 이상의 키워드가 결합된 키워드를 뜻합니다. 피규어장식장은 통합 키워드이고 피규어, 장식장 키워드는 단일 키워드입니다.
네이버에서 키워드로 인정하는 기준은 네이버 검색광고에서 검색량이 집계되는 것을 기준으로 보면 됩니다. 네이버 검색광고에서 피규어장식장, 피규어, 장식장 3개 키워드의 검색량을 살펴보면 다음과 같습니다.

키워드	월간 검색수(PC)	월간 검색수(Mobile)
장식장	6,150	18,800
피규어	19,300	37,700
피규어장식장	2,760	6,990

위의 데이터를 보면 각각을 모두 키워드로 인정하고 있는 것을 확인할 수 있습니다.
우선 피규어장식장이라고 상품명에 키워드를 넣으면 피규어장식장, 피규어, 장식장 이렇게 3개의 키워드로 각각 검색했을 때 상품이 전부 검색에서 노출됩니다.
하지만 이 3개의 키워드 중에서 단일 키워드인 피규어, 장식장 키워드는 피규어와 장식장이 들어간 키워드 전부 검색 결과에 반영됩니다. 따라서 피규어장식장(통합 키워드)보다 경쟁자가 더 많을 수밖에 없습니다. 그러다 보니 검색 노출에서 상위 노출은 쉽지 않습니다.
어쨌든 결론은 피규어장식장으로 상품명을 넣었을 때 피규어장식장으로도 검색되고 피규어, 장식장 이렇게 각각을 검색해도 검색 결과에 나옵니다. 다만 노출 순위가 달라집니다.

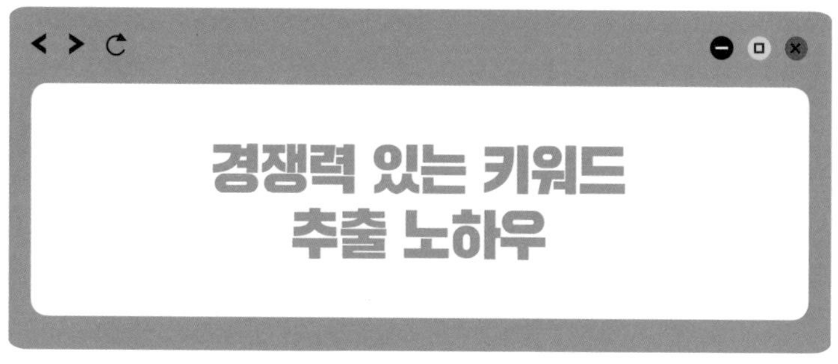

스마트스토어는 상품등록 저장소이니 몰보다는 상품 하나하나로 경쟁자와 경쟁을 해야 한다. 따라서 경쟁력 있는 키워드를 파악하기 위해서는 3가지가 고려되어야 한다.

첫째, 내가 판매하고자 하는 제품을 찾는 고객들이 사용하는 키워드에 대해 파악해야 한다. 둘째, 고객들의 수요에 대해 파악해야 한다. 셋째, 경쟁자에 대해 파악해야 한다.

영향력 있는 키워드를 찾아라

고객의 수요는 많으면서 경쟁자의 수는 적을수록 경쟁력이 있는 키워드다. 예를 들어 피규어장식장을 판매하기 위해서 홍보가 가능한 키워드를 추출해봤다.

경쟁자 수를 파악하는 방법은 간단하다. 스마트스토어는 네이버쇼핑 영역에 상품을 등록하는 서비스이니 경쟁자는 네이버쇼핑 영역에 등록되어 있는 상품 수를 따져보면 된다.

아래 표는 피규어장식장을 찾는 사람들이 검색하는 유사 검색어를 전부 추출한 것이다. 검색량은 PC와 모바일을 합산한 것으로 작성했고, 경쟁자 수는 네이버쇼핑 영역에 키워드를 검색해서 등록되어 있는 상품등록 수를 파악해서 작성했다. 검색량은 곧 고객이 궁금해서 검색을 해보는 것이니, 검색량이 많다는 것은 그만큼 고객의 수요도 많다는 것이다.

키워드 (검색어)	검색량 (PC)	검색량 (Mobile)	총 검색량	등록 상품 수
피규어장식장	3,100	7,690	10,790	11,020
피규어케이스	3,100	2,210	3,050	78,257
피규어진열장	1,210	2,710	3,920	11,832
피규어박스	550	1,000	1,550	74,407
피규어진열대	220	840	1,060	9,666
피규어장	240	560	800	1,705
피규어보관함	140	710	850	7,726
피규어수납장	80	240	320	1,097

출처 : 네이버 검색광고, 2018년 6월 3일 기준

위의 표에서 봤을 때 가장 경쟁력이 있는 키워드는 어떤 키워드일까? 경쟁력이 있다는 것은 시간 투자 대비 다른 판매자를 제치고 상위로 올라갈 때 유리한 키워드다. 우선 검색량이 많은 키워드로 먼저 진행하는 것이 좋겠으나 대부분 검색량이 많은 키워드는 경쟁도 치열하다. 즉 상품등록 수가 많다.

처음에는 경쟁이 덜 치열한 키워드를 선택하는 것이 우리가 경쟁하기에 유리하다. 즉 검색량이 낮은 키워드를 선택하라는 것이다. 검색량이 낮은 기준은 유사 키워드 안에서 상대적으로 봐야 한다. 앞의 표에서 보면 검색량이 낮은 키워드가 1,000회 미만인 피규어장, 피규어보관함, 피규어수납장이다. 검색량으로만 보았을 때 피규어수납장이라는 키워드가 가장 낮은 것으로 확인된다.

하지만 검색량만 낮다고 해서 경쟁력이 있다고 볼 수는 없다. 검색량이 비슷한 피규어장, 피규어보관함 키워드도 비교해보자. 두 키워드는 각각 월간 검색량 800회, 850회로 비슷한 검색량을 보이고 있다. 등록되어 있는 상품 수를 따져보니 1,705건, 7,726건으로 피규어장이라는 검색어로 등록된 상품 수가 훨씬 적은 것으로 확인된다.

피규어장과 피규어수납장을 비교해보니 검색량은 2배 이상인데 상품등록 수는 2배 이상이 안 된다. 3개의 키워드 중에 비교해보았을 때는 가장 경쟁력이 있는 키워드는 피규어장이다.

이처럼 경쟁력이 있는 키워드는 유사 검색어에서 검색량이 적은 키워드 안에서 검색량 대비 상품등록 수를 따져서 찾아내야 한다. 경쟁력 있는 키워드를 찾기 위해서는 많은 시간 투자가 필요하다.

네이버 검색광고에 로그인을 한 뒤 '광고시스템' → '도구' → '키워드 도구'순으로 들어가면 키워드에 대한 검색량을 파악할 수 있다.

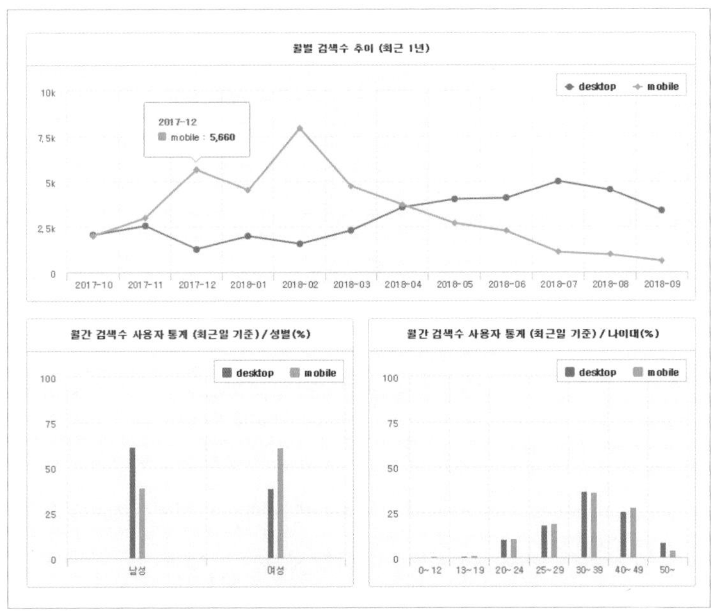

네이버 검색광고에서는 키워드별로 다양하고 상세한 데이터를 볼 수 있다.

키워드 검색량을 파악할 수 있는 곳은 '네이버 검색광고(http://searchad.naver.com)' 사이트이다. 네이버에서 돈을 지불하고 광고를 진행할 때 가입해야 하는 곳이기도 하지만, 특정 키워드에 대한 검색량과 데이터를 확인할 수 있는 곳이기도 하다.

또한 앞의 그래프에서 볼 수 있듯이 특정 키워드를 검색한 소비자의 연령대와 최근 1년간의 검색 추이, 성별 데이터까지 확인할 수 있다. 키워드의 검색량도 확인하고 소비자의 연령대와 성별 데이터까지 확인할 수 있다. 실제 우리가 공략하려고 하는 키워드를 많이 찾는 연령대와 성별을 파악해서 키워드를 추출하면 된다.

고객의 구체적인 검색어를 활용하라

좌식의자를 구매하고 싶은데 '좌식의자'라는 키워드가 생각이 안 날 때가 있다. 이럴 때 사람들은 좌식의자의 특징을 떠올리며 '다리 없는 의자'라는 키워드로 검색하기도 한다. 실제로 필자가 '다리 없는 의자'로 검색해보았더니 제품이 전혀 나오지 않았다. 과연 필자처럼 검색하는 사람이 없었을까?

주변의 사람들만 보아도 하나의 정보를 찾을 때 검색하는 키워드가 다양하다. 만약 좌식의자를 판매하는 판매자라면 좌식의자를 매일 검색하기 때문에 좌식의자라는 키워드에서 자신의 제품이 노출되느냐 안 되느냐에 관심이 많을 것이다. 하지만 위의 예시처럼 좌식의자를 사기 위해 '다리 없는 의자'라고 검색하는 소비자들도 있음을 알아야 한다.

또 하나의 예시를 살펴보자. 필자가 직장인들의 회식 장소에서 소주와 맥주를 섞는 기계로 술을 제조하는 장면을 본 적이 있다. 그 기계를 보는 순간 사고 싶다는 생각이 들어 그 장면을 그대로 떠올리곤 '술 섞는 기계'라고 검색했다. 하지만 검색 결과엔 그 어떤 제품도 나오지 않았다.

순간 그 제품을 어떻게 검색해야 할지 난감했고 블로그와 카페, 지식인 등 여러 개의 콘텐츠를 보다가 '폭탄주 제조기' 또는 '소맥 제조기'라는 사실을 알게 되었다.

폭탄주 제조기로 96개의 상품과 소맥 제조기로 180여 개의 상품이 등록되어 있는 것으로 확인했다. 고객은 정보에 대해서 검색할 때 생각이 나지 않으면 구체적인 키워드를 검색한다. 폭탄주 제조기, 소맥 제조기에는 등록된 상품들이 있었지만 '술 섞는 기계'로 검색했을 때는 등록된 상품이 없었다. 이 역시 앞서 예로 든 '다리 없는 의자'처럼 실제로 고객이 검색어가 떠오르지 않아 구체적으로 검색하는 검색어에 대한 부분이 간과된 것이다.

비단 이 두 사례만의 이야기가 아니다. 고객의 검색어는 다양하지만 판매자들이 활용하는 검색어는 한정적이다. 우리가 판매하고 있는 제품이 잘 떠오르지 않을 때 고객은 어떻게 검색할까? 반드시 고객의 입장에서 생각해보기 바란다.

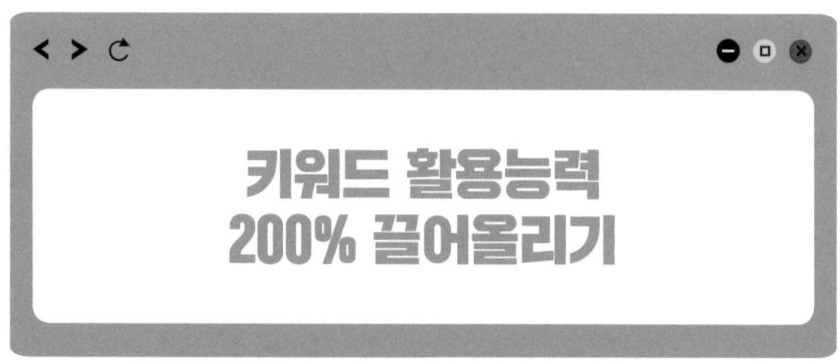

앞서 네이버 검색광고에서 특정 키워드에 대한 검색량을 확인하는 방법을 설명했다. 키워드는 어떠한 시각으로 바라보느냐에 따라 그 정의가 달라질 수 있다. 이번에는 키워드의 종류에 대해서 살펴보고, 키워드의 활용능력을 더 끌어올리는 방법을 설명하고자 한다.

대표키워드와 세부키워드

키워드 종류에는 대표키워드와 세부키워드가 있다. 대표키워드란, 업체의 분류 또는 아이템을 함축적으로 보여주는 키워드를 말한다. 즉 대표키워드는 업체의 '정체성(identity)'을 표현하는 하나의(또는 결합된 형식의) 단어를 말한다. 예를 들면 '스팀 청소기'라고 하면 '한경희', '생수' 하면 '삼다수'를 처음 연상하게 되는데 이때 '한경희'와 '삼다수'는 대표키워드가 된다.

우리는 정보를 찾아나갈 때 여러 개의 다양한 키워드를 사용한다. 예를 들어 '생수'를 먼저 검색하고 정보를 찾다가 '작은 생수'에 대한 정보를 보면, 의도한 것은 아니지만 흥미가 생겨 '미니 생수' 이렇게 검색해서 미니 생수와 관련된 정보를 찾아나간다. 또한 미니 생수를 보다가 건강한 생수를 찾고 싶으면 '건강한 미니 생수' 이렇게 검색어가 점점 구체적으로 진화된다.

즉 대표키워드는 세부키워드로 이어져 구매 단계로 도달하는 교두보 역할을 한다고 볼 수 있다. 교두보 역할을 하다 보니 실제로 대표키워드를 입력하고 바로 구매까지 이어지는 경우는 매우 드물다. 구매 전환까지 이루어지는 측면에서 봤을 때는 대표키워드는 매우 비효율적이라는 평가를 받는다.

반면 대표키워드에서 점점 세부키워드로 갈수록 고객의 니즈가 구체화되어 매출 전환율이 높아진다. 그렇다고 세부키워드만을 쓰라는 것은 아니다. 세부키워드부터 대표키워드까지 끊임없이 우리 제품 또는 회사와 관련된 콘텐츠가 나온다면 고객들에게 계속 노출되어 인지도가 올라감은 물론 신뢰도 측면에서도 도움이 된다. 물론 내용이 좋은 콘텐츠여야 한다는 것이 전제가 되어야 한다.

대표키워드와 세부키워드 외에도 네이버 검색광고 내에서 제공하고 있는 키워드에 대한 데이터를 볼 수 있는 곳과 그 외에 네이버에서 확인할 수 있는 키워드에 대한 정보를 살펴보자.

쇼핑 검색어로 시장조사하기

네이버쇼핑 영역에 베스트 100이라는 코너가 있다. 이 코너에서는 고객그룹군별, 카테고리별로 쇼핑 검색어에 대한 데이터를 확인할 수 있다.

고객그룹군 쇼핑 검색어로는 '싱글남', '싱글녀', '직장인', '주부', '대학생', '청소년', '신혼부부' 그룹군의 쇼핑 검색어에 대한 데이터를 확인할 수 있다. 아래의 그림을 살펴보면 주부들이 많이 쇼핑하는 검색어 1위가 쉬폰 원피스임을 확인할 수 있다.

내 고객이 싱글남, 싱글녀, 직장인, 주부, 대학생, 청소년, 신혼부부라면 적어도 일주일에 한 번은 그룹 쇼핑 검색어를 찾아보는 것을 권한다. 또한 카테고리 별로 쇼핑이 많이 이루어지고 있

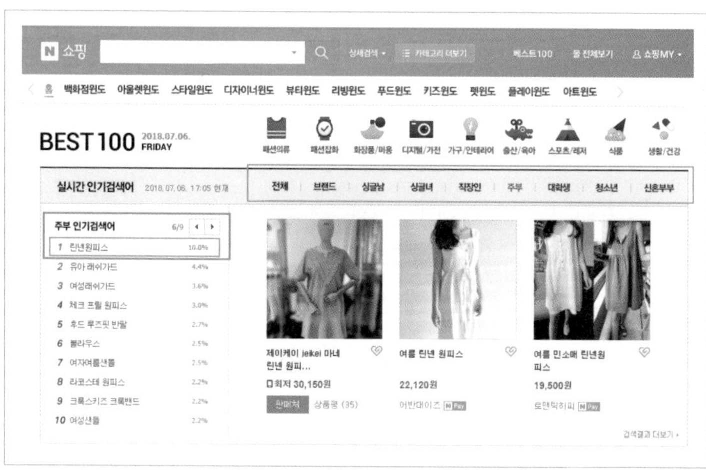

네이버쇼핑의 베스트 100 섹션. 카테고리별로 쇼핑 검색어 데이터를 확인할 수 있다.

쇼핑 검색어는 일간과 주간 단위로 선택해서 확인할 수 있다.

는 검색어도 확인 가능하다. 고객들이 어떤 제품을 많이 쇼핑하고 있는지 그 데이터를 볼 수 있다는 점에서 시장조사를 하기에 좋다.

쇼핑 검색어는 일일 또는 주간 데이터로 확인 가능하다. 필자가 아는 판매자 중에서는 쇼핑 검색어에 뜬 제품을 발 빠르게 사입해서 매출을 올린 판매자가 있다. 웬만큼 부지런하지 않고서야 쉽지 않은 일이지만 그만큼 고객이 많이 쇼핑하는 검색어에 집중해서 실전에 도입한 사례다.

쇼핑 검색어에 뜬 키워드와 관련된 제품을 사입하는 것은 지극히 드문 사례이고 실제 사용하는 사례는 키워드를 상품명에 활용하는 것이다. 예를 들어 구두를 판매하는데 현재 의류 카테고리에서 쇼핑 검색어 중에 '쉬폰원피스'가 있다면 상품명에 '쉬폰원피스에 잘 어울리는 구두'라는 상품명을 작성하는 것이다.

실시간 검색어 활용 예시

실시간 급상승 검색어는 네이버에 접속하면 메인에 보이는 검색어로 자주 확인할 수 있는 키워드 중 하나다. 종종 "어떻게 지금 저 키워드가 실검일 수가 있어요? 네이버에서 사건 덮으려고 작업하는 거 아닌가요?"라는 오해를 많이 받는 검색어이기도 하다. 이는 실시간 급상승 검색어를 지금 현재 네이버에서 가장 검색을 많이 하는 키워드로 오해를 하고 있기 때문이다.

실제로 실시간 급상승 검색어는 '급상승'이라는 것이 포인트다. 매일 1,000명씩 검색하는 키워드가 아닌, 평소 하루에 10명도 안 봤는데 갑자기 100명으로 검색량이 늘어난 키워드가 바로

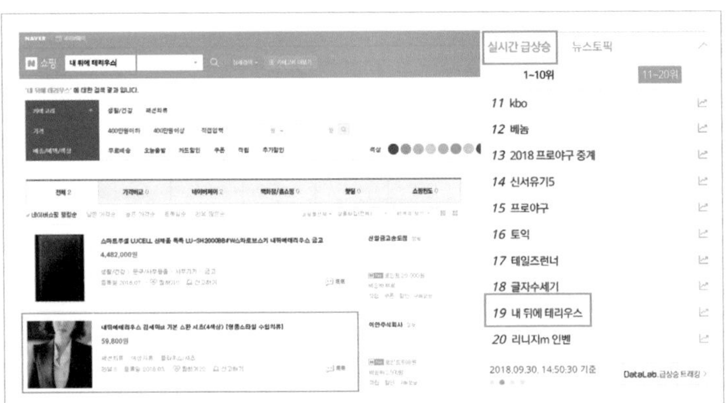

급상승이다. 실제 있었던 일이어서 더 슬픈 실시간 급상승 검색어 사례가 박근혜 전 대통령과 관련해서 '길라임'이라는 키워드다. 당시 네이버쇼핑 영역에 '길라임 운동화'가 등장해서 화제가 되기도 했다.

위의 예시에서 보면 <내 뒤에 테리우스>라는 드라마 검색어가 실시간 급상승 검색어에 올라와 있는데 네이버쇼핑 영역에 '내 뒤에 테리우스'라는 키워드를 넣은 상품명으로 등록된 상품이 2개밖에 되지 않는 것을 확인할 수 있다. 이처럼 등록된 상품의 개수로 보아 실시간 급상승 검색어를 활용하는 사례가 많지 않다는 것을 알 수 있다. 즉 경쟁자가 많지 않다는 것이다. 실시간 급상승 검색어를 활용하면 좀 더 많은 사람들에게 내 제품을 보여줄 수 있다.

업종별, 시즌별 인기 검색어

네이버 검색광고 → 광고시스템 → 도구 → 키워드 도구에 들어가 보면 업종별, 시즌별, 시즌 테마별 키워드를 확인할 수 있다. 예를 들어 '건강/미용' 카테고리를 클릭해보면 '건강/미용' 전체 카테고리에서 인기 있는 검색어를 확인할 수 있다. 업종 키워드를 통해 업종별 동향도 파악할 수 있다.

시장조사를 하기에도 유용하고 현재 업종별로 인기 있는 키워드를 활용해서 상품명에 활용할 수도 있다.

월별 인기 키워드와 시즌 테마 키워드도 제공되는데, 월별로

각 카테고리별 검색어를 확인할 수 있다. 위에서부터 업종별, 시즌 월별, 시즌 테마별 검색어.

체크하면 월별 인기 검색어를 확인할 수 있다. 월별 검색어는 작년의 데이터와 올해 데이터가 섞여 제공된다.

월별 인기 키워드는 시즌 이벤트를 기획할 때 참고하면 도움이 많이 된다. 예를 들어 7월 키워드를 살펴보면 펜션과 관련된 키워드가 많이 올라와 있는 걸 확인할 수 있다. 이는 여름 휴가로 펜션을 많이 찾는 것을 착안해서 여름 휴가와 관련된 이벤트를 기획할 수 있다.

시즌 테마 키워드는 시즌과 업종을 더해서 키워드에 대한 데이터를 제공하는 것으로 예를 들어 시즌 테마에서 건강을 체크하면 건강과 관련해서 현재 시즌 키워드를 확인할 수 있다. 필자가 2018년 7월 8일자 시즌 테마 키워드에서 건강을 체크해서 확인해보니 수족구라는 키워드가 있었다. 그 시즌에 업종별로 인기 있는 키워드를 활용하는 것은 업계 동향도 알면서 실무에서 가장 활용도가 높다.

연관검색어

연관검색어는 이용자가 입력한 키워드와 함께 검색할 가능성이 높은 단어를 검색창 하단에 제안하는 서비스다. 연관검색어를 이용하면 자신이 찾고자 하는 내용을 검색 결과에서 보다 쉽고 빠르게 찾을 수 있다.

연관검색어는 연관검색어라는 이름과 추천검색어라는 이름 2개로 구분 지어서 노출이 되었으나 2018년 6월부터 네이버는

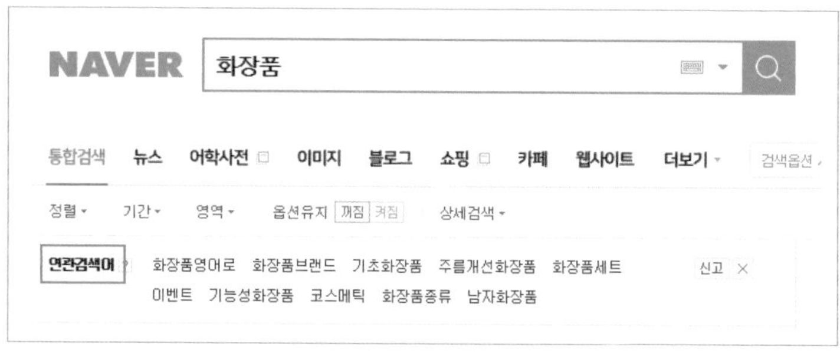

대표검색어 '화장품'을 검색하자 바로 아래에 다양한 연관검색어가 보인다.

연관검색어의 정확도를 높이고 상업적인 키워드 노출을 줄이기 위한 개편 작업에 나섰다.

업계에서는 최근 일부 온라인마케팅 업체들이 어뷰징을 통해 연관검색어를 조작한 사실이 드러나는 등 논란이 불거지자 네이버가 본격적인 연관검색어 개편에 착수한 것으로 보고 있다. 내용은 연관검색어 생성 알고리즘 등 개선을 통해 사용자의 검색 의도와 일치하는 연관검색어를 제공한다는 것이다.

우선은 연관검색어 개수를 기존 20개에서 절반인 10개로 줄였고 특정 브랜드명과 업체명 등 상업적인 키워드 노출을 최소화할 계획이다.

연관검색어에 특정 브랜드명이나 업체명이 노출되는 것 자체가 상업적으로 갈 여지가 많다고 보기 때문이다. 앞으로는 연관검색어는 고객들에 의해서 자발적으로 우리 업체 또는 상품이 검색될 수 있게 유도하는 방향으로 마케팅을 진행해야 한다.

예를 들어 '온라인 마케팅 교육은 비즈온에듀'라는 문구를 온라인상에 지속적으로 노출시켜 비즈온에듀라는 업체가 온라인 마케팅 교육업체라는 부분을 계속 보여주어 고객들이 검색하게 하는 것이다.

상위 노출 로직 마스터하기

가장 앞에 노출되는 카테고리 공략법

상품을 등록할 때 기본 뼈대가 되는 것은 바로 카테고리이다. 카테고리는 제품을 찾기 쉽게 하기 위해 분류를 해서 고객들에게 보여주는 기능을 한다. 예를 들어 캔들을 판매한다고 가정해보자. 캔들은 '가구/인테리어>인테리어 소품>아로마/캔들용품>초/향초'에 등록할 수 있다. 또는 '가구/인테리어>인테리어소품>조명>인테리어 조명'에도 등록 가능하다.

캔들을 그냥 향초로 등록할 것인지 인테리어 조명으로 등록할 것인지는 제품에 대한 정의를 어떻게 하느냐에 관련된 문제이기도 하다. 제품 정의에 따라서 경쟁해야 하는 경쟁자가 달라진다. 다시 말해 향초를 방향용품 판매자와 경쟁할 것인지 인테리어 조명 판매자와 경쟁할 것인지에 대한 문제다.

가장 적합한 카테고리 하나만 찾아라

이번 장에서는 네이버가 어떤 카테고리를 중요하게 평가하는지 살펴보고 이에 맞춰 판매자는 상품등록을 어떻게 해야 하는지 살펴보도록 하겠다.

네이버쇼핑은 대부분 쇼핑 카테고리를 크게 대분류, 중분류, 소분류로 나눈다.

위의 화면은 네이버쇼핑 영역이다. 왼쪽에 카테고리 메뉴가 있다. 카테고리는 크게 '대분류>중분류>소분류>세분류'로 나누어지나 보통은 소분류까지다. 앞서 얘기한 캔들처럼 '가구/인테리어>인테리어 소품>아로마/캔들용품>초/향초' 또는 '가구/인테리어>인테리어소품>조명>인테리어 조명' 등 등록이 가능한 카테고리가 다양하다. 하지만 스마트스토어를 활용해서 상품등록 시 유의해야 할 점은 등록 가능한 카테고리에 전부 등록하는 것이 아니라 네이버의 검색엔진 정책을 이해하고 제대로 된

하나의 카테고리에 등록해야 한다는 것이다.

네이버 검색엔진은 정확도를 선호한다

네이버가 추구하고 있는 검색에 대한 방향은 정확하고 빠른 쇼핑 검색 결과다. 따라서 여러 카테고리에 등록하는 것은 네이버가 추구하는 방향과 맞지 않는다. 게다가 최근에는 동일한 상품을 다른 카테고리에 등록하는 것 자체를 같은 상품을 네이버쇼핑 영역에 도배한다고 판단하여 어뷰징 행위로 규정하고 판매 활동 중지 등 제재를 가하고 있다.

내 상품을 어떤 카테고리에 등록하는 것이 네이버 검색엔진의 정확도에서 높게 평가받을 수 있을까? 간단히 확인할 수 있는 방법은 내가 등록하려고 하는 제품과 관련한 키워드를 검색하면 된다. 그리고 네이버쇼핑 영역에 상위 노출되고 있는 카테고리를 확인하는 것이다.

예를 들어 네이버쇼핑 영역에 '마분말'을 검색해보면 등록되어 있는 상품이 1,078개 나온다. 이때 화면 상단을 보면 마분말은 '식품', '생활/건강', '출산/육아', '화장품/미용'에 등록이 가능하다. 하지만 마분말 검색 결과를 보면 '식품 > 건강식품 > 건강분말' 카테고리에 등록된 상품이 맨 위에 노출되는 것을 확인할 수 있다. 등록 가능한 카테고리는 많지만 그중에서 네이버 검색엔진이 가장 우선순위를 두고 있는 카테고리가 가장 앞에 노출되는 것이다. 마분말은 '식품', '생활/건강', '출산/육아', '화장품/미용'에 모

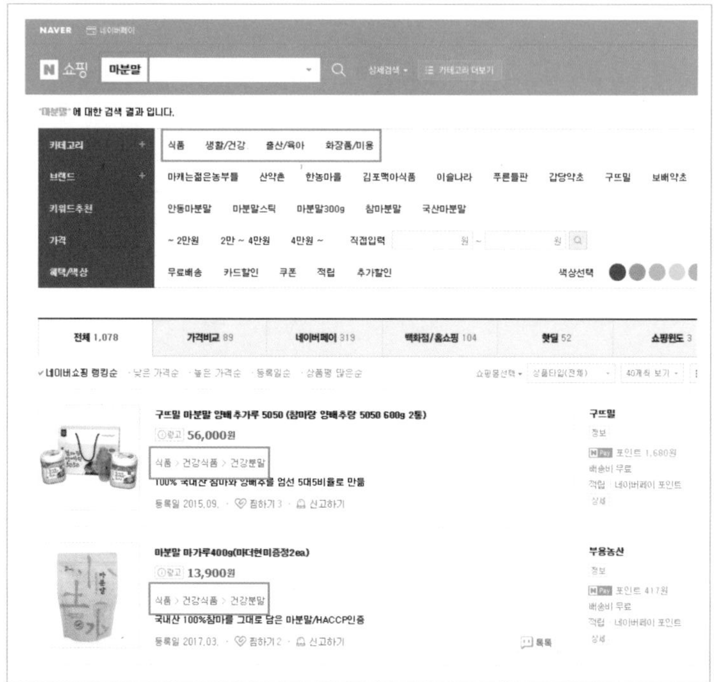

제품마다 네이버 검색엔진에서 정확도 면에서 우선적으로 분류하는 키워드가 있다. 이것에 맞춰 판매 제품을 등록하는 것이 노출에 유리하다.

두 등록이 가능하지만 네이버 검색엔진은 그중에서도 식품 카테고리의 정확도를 우선적으로 평가한다는 뜻이다.

소분류를 최대한 활용하라

과거에는 제품을 구매하기 위해서 검색을 하면 항상 그 상품만 나온 것이 아니라 같이 구매할 수 있는 많은 상품들이 나오곤 했다. 덕분에 제품 하나를 클릭하고 들어가서 끝도 없이 나오는 상품을 마우스로 계속 밀어내며 구경하곤 했다.

'여아 원피스'라고 검색하면 과거에는 왼쪽과 같이 아동 의류를 모두 보여줬지만 지금은 오른쪽과 같이 최대한 정확한 결과물을 보여준다.

현재 네이버는 소비자들이 검색하는 제품과 관련하여 정확한 제품을 검색 결과에서 보여주고자 한다. 즉 '여아 원피스'를 검색했을 때 여아 원피스 외에 다른 상품들을 보여주는 것을 지양하고 있다. 따라서 여러 개의 상품을 하나로 묶어서 등록하는 방식보다 소분류 기준으로 상품을 엮어서 등록하는 것을 권장한다. 카테고리의 분류 기준으로 보면 소분류 또는 세분류가 기준이 되는 것이 좋다. 더 정확하게 얘기하자면 상품을 단품으로 등록하길 권장하며, 같은 원피스라도 블랙, 레드, 블루 이렇게 각각을 등록하는 것을 권장한다.

그러나 이렇게 등록하는 경우 각각을 마케팅을 해야 한다. 판매자로서는 마케팅이 부담될 수 있다. 그래서 필자가 네이버의 검색엔진 정책을 지키면서 판매자가 마케팅에 대한 부담을 덜 수 있는 방안을 소개하고자 한다.

인공지능이 좋아하는 상품이미지 만들기

네이버쇼핑 영역에서 뭔가를 구매하려고 검색해보면 수많은 상품이미지가 나온다. 이렇게 고객들에게 가장 처음으로 보여지는 상품이미지들을 '목록 이미지' 또는 '대표이미지'라고 부른다. 네이버는 검색 결과의 편리성과 정확성을 높이기 위해 대표이미지와 관련하여 인공지능에 의한 딥러닝 기술을 도입했다.

온라인 마켓 속 인공지능

네이버지식백과에 따르면 인공지능이란 "인간의 학습능력과 추론능력, 지각능력, 자연언어의 이해능력 등을 컴퓨터 프로그램으로 실현한 기술"이다. 쉽게 말해 인간처럼 사고를 할 수 있게 만든 컴퓨터 시스템이다.

얼마 전에 필자가 한 광고를 보고 있었는데 이런 문구가 나왔다. "왜 자꾸 필요한 시간에 딱 맞춰 나타나서 잘해주는데…." 그 광고 문구를 보는 순간 이것이야말로 인공지능을 정확하게 설명하는 문구가 아닌가 생각했다.

인공지능은 이 광고 문구처럼 사용자의 생각을 빨리 읽어내어 원하는 상품을 보다 빠르고 정확하게 찾아나갈 수 있도록 돕는다. 또한 정보 콘텐츠 홍수 속에서 선택의 어려움을 해결하여 검색 만족도를 높이고자 하고 있다.

그렇다면 이런 인공지능 기술을 온라인 마켓 쪽에서는 어떻게 발전시키고 있을까? 인공지능 기반 기술이 이미 곳곳에 사용되기 시작했다. 온라인 마켓은 고객들이 쇼핑을 하기 위해서 들어오는 쇼핑채널이고 이는 곧 매출과 직결되기에 업계에서는 일찍이 연구와 시도를 이어왔다. 그중 네이버는 특히 사물인식 쪽으로 인공지능을 발전시켜왔다.

네이버 사물인식 인공지능

우리가 어렸을 때 사물에 대해서 배웠을 때 어떻게 배웠는지를 생각해보자. 엄마가 고양이, 강아지가 그려져 있는 그림을 보여주면서 끊임없이 고양이, 강아지라는 단어를 들려주었다. 그러다 나중에는 고양이 그림만 보여주어도 '고양이'를 외칠 수 있게 된 것이다.

우리가 이렇게 사물을 그림으로 접하며 학습했듯, 검색엔진도 그런 방법으로 학습을 시켰다고 생각하면 된다. 하나의 사물에 대해 수십만 장의 사물과 관련된 이미지를 넣어서 사물에 대해서 학습을 시킨 것이다.

최근 네이버가 "네이버에서 이미지를 검색하세요."라는 광고를 내보냈다. 네이버 검색창에 글씨를 입력하는 게 아니라 고양이 사진을 올리니 '페르시안 고양이', '엑죠틱'이라는 검색 결과를 보여주었다. 검색엔진이 '페르시안 고양이'와 '엑죠틱'이 학습이 되어 있기 때문에 검색 결과에서 이를 보여준 것이다.

네이버는 이미지 검색기술을 고객들이 많이 활용하도록 권장하고 있다. 그렇다면 이렇게 인공지능기술에 의해 사물인식기술이 발전되면서 네이버의 이미지 영역에 어떤 변화가 일어났을까?

'머그컵'을 검색했을 때 보이는 상품이미지 중에 2개를 살펴보자. 그림에서 위쪽의 경우 머그컵에 충실한 사진이다. 반면 아래쪽 사진은 머그컵 주변에 장식이 많고 예쁘게 찍은 사진이다. 육안으로 봤을 때는 위의 사진보다 아래 사진이 더 예뻐 보이겠지만, 인공지능에 의한 사물학습이 되어 있는 검색엔진 입장에서는 아래 사진은 참으로 복잡한 사진이다. 검색엔진은 머그컵이라는 키워드로 위의 사진을 더 정확하다고 인식한다.

앞으로는 위의 사진처럼 지극히 제품 컷에 충실한 이미지가 정확도 면에서 높게 평가 받는다는 사실을 기억하자.

'머그컵'이란 키워드로 검색된 이미지에서 네이버의 인공지능에 잘 검색되는 것은 위쪽 사진이다.

| 주요 온라인 마켓의 목록(대표) 이미지 권장 크기 |

판매 채널명	목록(대표)이미지 권장 사이즈
11번가	300×300
G마켓, 옥션	280×280
스마트스토어	640×640

(단위: 픽셀)

상세페이지에 정성을 쏟으면 매출이 올라간다

상품을 등록하고 나면 매출을 올리기 위한 마케팅 고민이 시작된다. 고객들이 내 제품을 보러 들어온다고 해서 제품을 전부 구매하는 것은 아니기 때문이다. 매출을 일으키는 데에 결정적인 역할을 하는 것이 바로 상세페이지다.

상세페이지는 상품을 설명하는 유일한 도구

상품 상세페이지 내용에서 내 제품을 어떻게 설명하는지에 따라 매출이 달라진다. 그만큼 신경을 많이 써야 하는 부분이다.

상품 상세페이지는 사람들이 상품이 궁금해서 클릭하고 들어가면 보게 되는 상품에 대한 설명 페이지를 말한다. 상품에 대한 설명은 글로 상품에 대한 특징을 설명하는 방법, 사진으로 상품의 이미지를 보여주는 방법, 영상을 찍어서 전달하는 방법 등 크게 세 가지가 있다.

즉 상품을 설명할 수 있는 도구는 글, 사진(이미지), 영상 이렇게 세 가지로 볼 수 있겠다. 최근 네이버 스마트스토어 상세페이지 등록하는 매뉴얼이 블로그의 글쓰기 메뉴와 같아졌다. '사진+텍스트+사진+텍스트'의 형식을 그대로 상세페이지에도 적용하면 된다.

요즘의 트렌드는 디자인보다 가독성

요즘은 PC 사용자보다 모바일 사용자가 월등히 많아졌다. 네이버 검색광고에서 키워드별 PC와 모바일 검색량을 비교한 데이터를 보면 거의 대부분의 키워드가 모바일에서 더 많은 것으로 확인된다.

그 결과 상세페이지 화면에도 변화가 생겼다. 원래는 PC화면에 맞춰 넓게 보여주는데 이런 화면을 모바일로 옮겨오니 화면이 작아진 것이다. PC 사용자가 더 많았을 때는 화면 자체가 넓어서 우리 상품에 대한 정보도 많이 담을 수 있었다.

다음 페이지 예시 사진에서 왼쪽은 PC화면에서의 상세페이지고 오른쪽은 모바일 상세페이지다. PC화면에서 모바일로 옮겨지니 급격히 상세페이지의 크기가 작아지면서 덩달아 사진 크기며 이미지 안에 들어가 있는 글자 크기까지 덩달아 축소되어 내용이 잘 보이지 않는다.

위쪽은 PC, 아래쪽은 모바일 화면이다. PC용 상세페이지를 단순히 크기만 줄여 모바일에서 사용하면 가독성이 떨어진다.

이처럼 PC보다 모바일에서 콘텐츠를 소비하는 사람들이 많아짐에 따라 요즘 상세페이지의 트렌드는 모바일에서 잘 보이게 상품에 대한 정보를 보여주는 것이 트렌드다. 과거에는 상세페이지를 길게 하나의 디자인으로 만들었다면 요즘은 모바일에서 잘 보이도록 '사진+텍스트'로 상세페이지를 올린다. 제품에 대한 설명 사진은 사진대로 배치하고, 제품을 설명하는 문구는 문구대로 글자의 크기를 크게 작성해서 모바일에서 잘 보이게 하는 것이다.

제품의 사진은 사진대로 텍스트는 텍스트대로 상세페이지를 구성하다 보니 마치 블로그 같다 해서 '블로그형 상세페이지'로 불리기도 한다. 블로그를 운영해본 판매자라면 쉽게 접근할 수 있을 것이다. 스마트스토어에 상품을 등록하는 매뉴얼을 보면 상품등록 매뉴얼이 블로그에 글 올리는 매뉴얼과 같은 이유도 여기에 있다. 만약 디자인을 하려고 한다면 일단 모바일에 기준을 둬야 한다. 기억하자. 예쁜 상세페이지보다 가독성이 더 중요하다.

광고 없이 판매 1위에 등극한 쥐포 판매자

교육생 중에 쥐포를 판매하는 판매자가 있었다. 이분이 모임에 나왔을 때 쥐포를 준 적이 있다. 쥐포가 너무 맛있어서 어디서

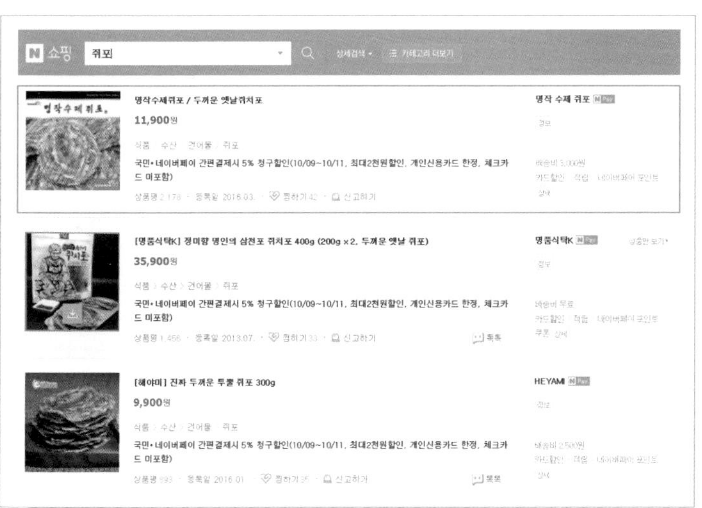

싸구려 쥐포 좋아하시는 분은
잘못 오셨습니다.
먹거리는 절대로 싸고 좋은것 없습니다!
공장 to 소비자 공급이라 그나마 싸게 올렸습니다.

일본수출 한국상륙!!

더러운 쥐포는 가라~!

PREMIUM FILE FISH JERKY

icewave GROUP

명작수제쥐포

ㅣ금부터 하는 말 진지해서 명조체로 시작 합니다.

쥐포 알고 드셨나요? 오토바이 매연, 벌레, 먼지..왠열!

세련되게 꾸며진 사진과 문구보다 투박해도 진심이 느껴지는 상세페이지가 소비자에게 더 매력적일 수 있다.

판매했는지 물어봤더니 '명작수제쥐포'를 검색하면 바로 나온다고 말하며, 광고 하나도 없이 판매량이 1위라고 덧붙였다. 광고 없이도 1위라니 명작수제쥐포의 상세페이지가 궁금했다. 네이버쇼핑 영역에서 검색하니 과연 1위였다. 광고 없이 1위를 하는 비결이 있을 것 같아 클릭해봤다.

상세페이지를 클릭하고 들어가자마자 문구가 너무 웃겨서 한참을 읽어 내려갔던 기억이 난다. 먹거리는 절대 싸고 좋은 것 없다며 "더러운 쥐포는 가라~!"고 적혀 있었다. 가격이 싸지 않음을 오히려 어필하고 있었다. "먹는 걸로 장난치면 지옥 간다", 야외 건조는 더럽고 비싼 건조기로 이물질을 전부 수작업으로 선별한다는 부분을 "두 눈 부릅뜨고 이물질 선별하는 사나이들(시력 1.5)" 등의 표현이 재미있으면서도 장점을 강조하는 표현이었다. 또한 내가 스스로 먹어도 먹을 수 있을 쥐포를 만들자라는 신념으로 쥐포를 만들어서 판매하는구나 싶어서 제품에 대한 자부심이 상당하다는 생각이 들었다.

이 쥐포 판매자 상세페이지의 특징은 흔히 느끼는 '예쁘다', '심플하다', '깔끔하다'와 같은 느낌은 전혀 없다. 하지만 이 판매자가 써놓은 문구 하나하나에 신뢰가 갔다.

이와 비슷한 사례로 옥션 농수산물 판매자 1위 페이지가 있다. 오타가 가득하고 사진은 흐릿해 어떻게 보면 성의 없는 상세페이지였다. 직접 생산해서 배송까지 직접 한다는 산지직송에 관련된 내용이 적혀 있었는데 너무도 신뢰가 갔다. 투박한 글과 흐릿한 사진이 모두 세련된 장사꾼이 아닌 순박한 농부가 직접 쓴 글이라는 생각이 들었기 때문이다.

사람들은 1위만 기억한다

일 년 전쯤 연예인 아이린이 모 방송에서 지압슬리퍼를 통해서 붓기 빠지는 효과를 봤다는 방송을 하고 난 이후로 해당 슬리퍼는 소위 대박이 났다. 나 역시 당시 방송을 보고 같이 일하는 직원들과 함께 구매를 했다.

판매자의 상세페이지를 보면 고객들이 제품을 사서 올린 후기에 대한 부분을 먼저 소개하고 있다. KC 인증마크에 타사 제품과 비교한 문구까지 고객에게 우리가 무엇을 왜 어필해야 하는지 끊임없이 보여준다. 무엇보다 가장 눈에 들어오는 건 바로 '지압슬리퍼 부분 대한민국 판매 1위'라는 문구였다.

이 판매자는 슬리퍼 전체 분야에서 1위를 하기에는 판매량과 인지도가 턱없이 부족하다. 하지만 지압슬리퍼 부분에서는 1위가 맞다. 좀 더 카테고리를 좁혀서 1위를 하고 있음을 상세페이지에서 보여주고 있다. 사람들은 1위만 기억한다. 설사 이렇게 작은 분야의 1위라 할지라도 말이다.

'새비누'를 '쉼비누'로 재탄생시키다

창업경진대회 심사위원으로 참여하면 가장 많이 보는 아이템 중의 하나가 천연비누다. 특히 주부들의 경우 창업 아이템으로 비누를 선택하는 경우가 많다. 그러다 보니 심사위원 입장에서는 심사하기가 쉽지 않다.

한번은 스마트스토어를 활용한 창업경진대회 심사위원으로

신발 분야나 슬리퍼 분야 1위는 어려워도 세분화된 지압슬리퍼 분야 1위는 가능하다. 제품이 속한 분야를 세분화하여 1위임을 강조해보자.

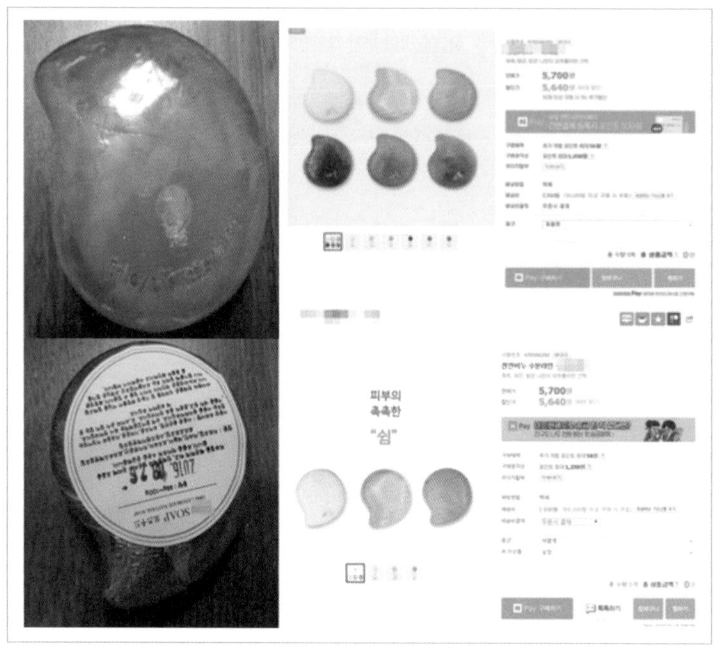

새 모양을 닮은 새비누를 뒤집어 쉼표 모양을 닮은 쉼비누로 바꾸었다.

참여했다. 이날도 역시 천연비누로 경진대회 도전한 판매자가 있었다. 제품에 대한 특징을 묻자 '새' 모양이 연상되어 '새비누'라고 이름을 지었고, 새 부리 모양처럼 생긴 부분 때문에 미끄러지지 않는 것이 이 비누의 특징이라고 설명했다.

나는 이 판매자에게는 새비누가 아닌 다른 비누로 이름을 바꿔오라고 미션을 주었다. 약 한 달 동안 고민하던 판매자는 '쉼비누'를 가져왔다.

새 모양을 뒤집으니 쉼표로 보여 쉼비누라고 했다는 것이다. 거기에 콘셉트를 넣어 피부에 촉촉한 쉼을 주는 쉼비누로 재탄생했다. 이렇게 이름을 바꾸고 콘셉트를 바꾸는 것은 매우 어려운 부분이다. 하지만 제품을 고객에게 어떻게 각인시킬 것인가에 대한 문제이고 어렵지만 판매자들이 풀어야 할 숙제다.

잘된 상세페이지의 공통점

잘된 상세페이지의 공통점은 고객이 나를 선택할 수밖에 없는 이유를 제시하고 있다는 점이다. 고객이 수많은 판매자 중에서 나를 선택하는 이유, 같은 상품이 많지만 굳이 나에게 사는 이유가 상세페이지 내용에 있다.

상세페이지는 항상 업그레이드해야 한다. 고객들이 내 상품을 보러 많이 들어왔지만 매출이 일어나지 않는다면 그건 우리 상세페이지의 내용이 고객을 만족시키지 못했다는 뜻이다. 처음부터 잘된 경우도 있겠지만 고객들이 나를 선택할 수밖에 없는 이유를 지속적으로 상세페이지 내용에 담아내면서 고객들이 나를 선택하게 해서 매출을 일으킨 판매자가 더 많다.

상세페이지의 질을 높이는 꿀팁

직접 상세페이지 디자인을 꾸며보고 싶지만 꾸미는 재주가 없을 때 알아두면 좋은 사이트를 소개한다.

카페24디자인센터(d.cafe24.com)

'카페24'는 온라인에서 쇼핑몰 지원사업을 하는 곳이다. 쇼핑

온라인 솔루션 회사 카페24에서 운영하는 디자인 파트 '카페24디자인센터'에는 쇼핑몰에 적합한 디자인 소스가 많이 있다.

몰을 하려고 하는 사람들이 가장 많이 찾는 솔루션이다. '카페24'에는 디자인을 전담하는 '카페24디자인센터'라는 곳이 있다. 이곳에는 디자인을 잘하는 프리랜서들이나 디자인회사들이 입점되어 있다. 특히나 카페24 자체가 쇼핑몰을 운영하려고 하는 사업자들이 찾는 곳이다 보니 쇼핑몰에 적합한 디자인이나 상세페이지 디자인 소스들을 많이 제공하고 있다.

카페24디자인센터에 가면 '부분 디자인'이라는 카테고리가 있는데 부분 디자인 카테고리에는 쇼핑몰 운영 시 필요한 팝업 이미지부터 상세페이지에 쓰면 좋을 만한 디자인들이 카테고리별로 분류되어 있다.

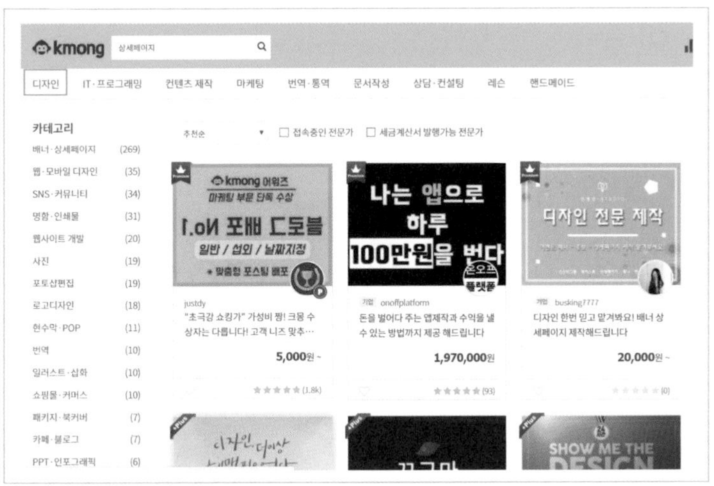

전문가들의 재능 기부 콘셉트인 '크몽'. 가격이 저렴한 편이다.

크몽(kmong.com)

'크몽'이라는 사이트에서 디자인이라는 카테고리를 클릭하면 배너, 상세페이지 등의 디자인을 해줄 프리랜서 및 업체들이 디자인 단가를 올려놓은 것을 확인할 수 있다.

크몽의 경우 전문가가 재능기부하는 콘셉트라 다른 곳에 비해 가격도 저렴한 편이다. 처음에는 재능기부 콘셉트로 등장했다가 점점 전문가들의 콘텐츠와 그 콘텐츠를 의뢰하는 소비자 간의 거래가 이루어지는 오픈 마켓 같은 곳으로 진화했다.

아이클릭아트(www.iclickart.co.kr)

네이버쇼핑 영역에 노출된 상품을 보고 클릭했을 때 고객이 최초로 보게 되는 웹페이지를 '랜딩페이지(Landing page)'라고 부

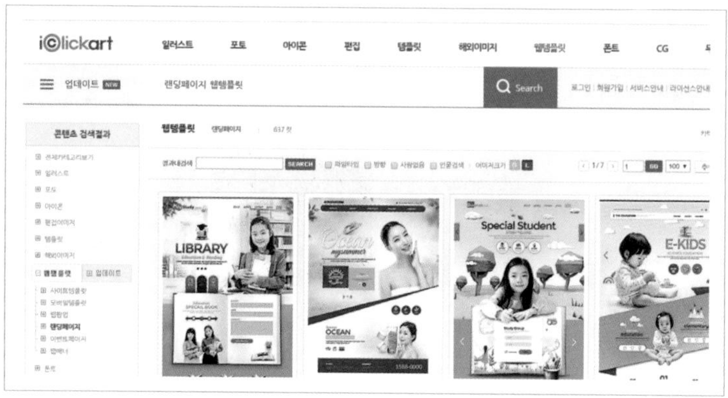

'아이클릭아트'는 랜딩페이지 디자인에 최적화된 디자인 사이트이다. 내부에 포토샵을 할 줄 아는 사람이 있다면 특히 활용하기 좋다.

른다. 랜딩페이지는 온라인 마케팅에서 중요한 부분이다. 아이클릭아트에서는 랜딩페이지, 이벤트페이지 등 온라인 마케팅과 관련된 디자인 콘텐츠를 만나볼 수 있다. '아이클릭아트' 사이트에서 웹템플릿 카테고리에 가면 랜딩페이지 카테고리가 나온다.

오픈애즈(www.openads.co.kr)

'오픈애즈'도 웹상에서 쓸 수 있는 사진이나 이벤트 디자인을 구매해서 쓸 수 있는 곳이다. 콘텐츠 단위로도 쓸 수 있는 범위가 다르고 명시가 되어 있으니 확인하고 구매하면 된다. 나는 오픈애즈 사이트에서 이벤트 디자인을 주로 구매해서 사용했다. 상품을 올려놓고 매출을 올리기 위한 이벤트도 주기적으로 해야 하는데 오픈애즈나 클릭아트는 회사 내부에 포토샵할 줄 아는 사람이 있다면 활용하면 좋은 사이트다.

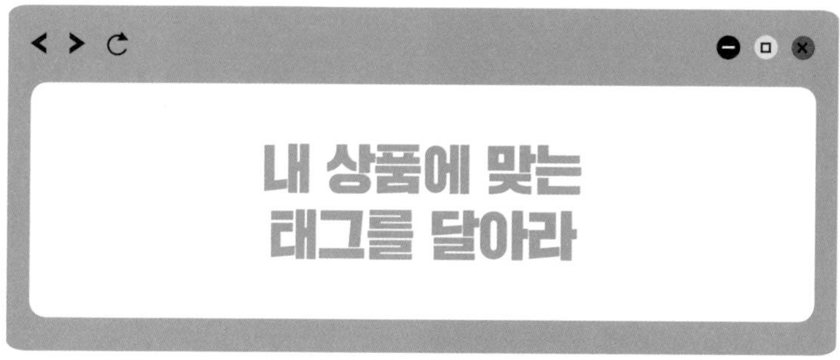

내 상품에 맞는 태그를 달아라

2018년 2월 1일, 네이버는 스몰비즈니스 사업자들이 보다 편리하고 효율적으로 상품을 관리하고 판매할 수 있도록, '스토어팜'의 기능들을 대대적으로 개선해 '스마트스토어'로 재단장하며 정의에 대한 부분도 한층 더 업그레이드했다.

기존에 스토어팜은 네이버쇼핑 영역에 다이렉트로 상품을 등록하는 서비스임과 동시에 네이버 내의 나만의 쇼핑몰이라고 정의를 내렸다면, 스마트스토어는 클라우드형 스토어 플랫폼이라고 새롭게 정의한 것이다.

클라우드형 스토어

네이버는 이미지 검색 기술을 도입하면서부터 많은 진화를 했지만 그 검색엔진으로 고객들이 원하는 정보를 정확하고 빠르게 처리하기엔 해석해야 하는 데이터가 너무 많다. 검색엔진 기술만으로 검색 결과를 보여주기엔 정확도에 한계가 있다.

검색 결과는 판매자가 입력한 상품에 대한 정보와 네이버의 검색엔진 기술이 더해져 나타난다. 따라서 판매자는 상품을 등록할 때 상품의 특성에 정보를 맞춰 최대한 입력을 많이 하는 것이 좋다.

예를 들면 화장품을 등록한다면 용량 및 중량, 제품 주요사양, 사용기한 또는 개봉 후 사용기간, 사용방법, 제조업자, 제조판매업자 등이 제품의 특성이다. 반면 냉장고를 판매한다면 등록해야 하는 내용은 품명, 모델명, KC인증 및 유무, 정격전압, 소비전력,

각 제품별로 정보가 세분화되어 제공된다.

에너지소비효율등급 등이 될 것이다. 이렇듯 판매 제품의 특성과 소비자가 원하는 정보가 모두 다르기 때문에 입력해야 하는 정보가 다른 것이다.

다음은 스마트폰으로 네이버 앱을 들어가 '원피스', '핸드백', '핸드폰케이스'이란 키워드를 검색해 나온 결과물이다. 제품 이미지 위쪽을 살펴보면 '원피스' 관련해서는 브랜드, 주요소재, 총기장 등이, '핸드폰케이스'는 브랜드, 휴대폰액세서리, 핫딜이라는 탭이 있다. 각 제품에 따라 사람들이 많이 찾는 항목을 만들어 빠른 검색을 통해 제품을 찾을 수 있게 정보를 제공하는 것이다.

스마트스토어에서는 판매자가 상품을 등록할 때 상품의 소재, 색상 등과 같은 상품의 속성을 상세하게 입력할 수 있도록 상품 속성 등록 기능을 강화했다. 판매자가 상품에 대한 소재와 색

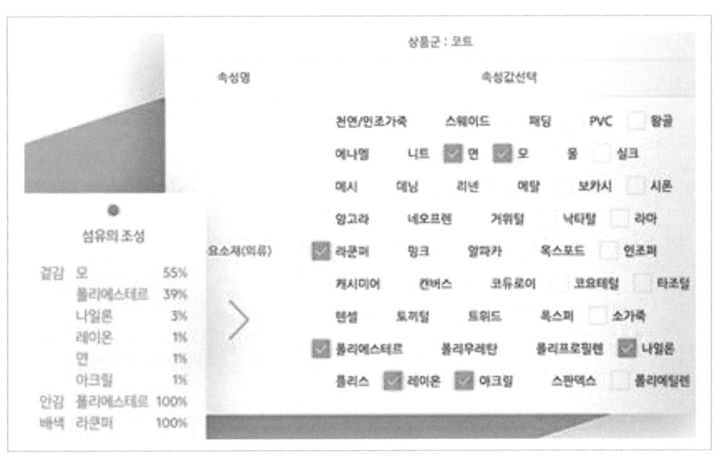

스마트스토어에서 강화된 제품 속성 등록 항목

상 정보들을 자세하게 체크하면 고객들 또한 제품을 더 상세하게 검색할 수 있는 검색 탭이 노출이 된다. 따라서 판매자는 하나하나 항목에 주의를 기울여 등록을 하는 것이 중요하다.

네이버가 집중하고 있는 '태그'

요즘 판매자가 입력해야 하는 정보 중에 네이버에서 공을 들이고 있는 영역이 바로 '태그'다. 태그는 요즘 뜨는 HOT 태그, 감성 태그, 이벤트형 태그, 타겟형 태그로 크게 4가지로 나뉜다.

사람들은 쇼핑을 하기 위해서 하루에도 수십 번씩 키워드를 검색해서 제품에 대한 정보를 찾는다. 이때 원하는 제품에 대한 정보를 단 한 번에 바로 찾은 적은 별로 없었을 것이다.

예를 들어 '청치마'를 검색해면 너무 많은 종류의 상품이 나온다. 더구나 청치마 외의 다른 상품들도 많이 나와 혼란스럽다. 결국 소비자는 보다 더 구체적인 검색어를 입력한다. '7부 청치마', '55사이즈 청치마' 등 구체적인 키워드로 재검색하며 자신이 원하는 정보를 찾아나간다.

이렇게 검색을 여러 번 하는 이유는 상품 판매자들이 상품에 대한 정보를 잘못 입력하거나 누락했기 때문이다. 상황이 이렇다 보니 판매 채널인 온라인 마켓들은 판매자들이 잘못 입력하거나 누락한 상품에 대한 정보들을 일일이 직접 수정하는 작업을 해야 했다. 검색 결과도 정확하지 않고 관리 운영에도 불편함이 많았던 것이다.

그래서 네이버가 최근 검색엔진에서 강화하고 있는 영역이 판매자들이 입력한 정보에 의한 검색 정확도를 높이는 것이다. 그중 가장 집중하고 있는 것이 바로 태그 영역이다.

데이터의 유기성을 찾아 스타일 제안

인공지능 기반 기술이 발전하면서 온라인 마켓 역시 이 기술을 적극 활용하고 있다. 가장 대표적인 것이 베타서비스이긴 하지만 패션 상품에 도입된 '스타일추천'이라는 서비스다.

오픈 마켓, 소셜커머스, 스토어팜, 윈도 시리즈 등을 통해 약 4억 건에 달하는 쇼핑상품 데이터베이스를 갖고 있는 네이버가 이런 분석에 유리한 것은 당연한 일이라고 생각할 수 있다. 하지만 사람이 아닌 프로그램이 하는 작업이라고 생각해보면 놀라움을 감출 수 없다.

수많은 데이터베이스에서 어떻게 '러블리', '귀여운', '화려한', '로맨틱' 등과 같은 감성 키워드에 맞는 스타일을 추천할까? 심지어 나의 취향에 맞는 상품을 추천하기까지 한다. 이런 놀라운 결과가 가능한 것은 인공지능에 쓰이는 딥러닝 기술의 일종인 '컨볼루션 신경망(Convolutional Neural Network, CNN)'을 활용했기 때문이다.

컨볼루션(Convolution)은 어떤 것들을 서로 결합한다는 뜻이다. 같은 키워드의 이미지 데이터가 분석된 후 서로 연결되어 있는 유기성을 찾아 데이터베이스화하는 것이다. 예를 들어 서로 다른 고양이를 찍은 수많은 이미지를 픽셀 단위로 분석한다. 그리고 특정 대상이 어떤 선과 점으로 이뤄졌는지 분석하여 일종의 패턴을 익힌다. 이런 자료가 모여 입력된 이미지가 원피스인지, 고양이인지 구분해낼 수 있게 된다.

원피스라는 태그를 붙인 이미지를 컨볼루션 신경망에 수없이 반복 입력해서 공통점을 뽑아내면 이후에 여기에 새로운 이미지를 입력했을 때 이것이 원피스인지 아닌지를 구분해낼 수 있게 되는 식이다.

'원피스'와 같은 명확히 구분되는 태그를 가진 이미지는 특정 패턴을 뽑아내기까지 학습에 필요한 데이터 수가 적지만 '귀여운'과 같이 추상적인 태그를 가진 이미지를 구분하기 위한 패턴을 뽑아내는 데는 훨씬 많은 데이터가 필요하다. 하지만 네이버는 앞으로 네이버쇼핑 검색에서 감성적인 부분들은 물론 정형화된 속성들까지 뽑아내도록 할 것이라고 밝혔다.

즉 주요소재가 같은 원피스라고 하더라도 반팔, 긴팔, 꽃무늬 패턴 등과 같이 다양한 상품의 구체적인 속성까지 구분하도록 컨볼루션 신경망을 가다듬겠다는 것이다.

이를 위해 네이버는 이미지뿐만 아니라 상품명이나 판매자들이 판매를 하기 위해 상품을 등록할 때 입력하는 제품의 정보들을 검색 결과에 적극 활용하겠다는 방침이다. 이런 배경으로 도입된 것이 바로 태그 영역이다.네이버의 검색엔진 기술에 판매자가 제품과 맞는 태그를 매칭해서 검색 결과로 내놓는 것이다.

각 상품별로 태그 지정은 10개까지 할 수 있다. 이때 판매자가 임의로 태그를 설정을 하려고 하는 경우가 많은데 네이버가 원하는 방향은 네이버가 제공하고 있는 태그 내에서 판매자가 상품에 대한 정보를 매칭하는 것이다. 따라서 태그를 직접 입력하려 하지 말고 네이버가 제공하는 태그 내에서 내 상품과 맞는 태그를 체크하는 것이 좋다. 그래야 검색 결과에 노출될 가능성이 크다.

판매자에게는 상품을 등록해야 하는 일이 가장 시간을 많이 투자해야 하는 일이기도 하다. 그래서 간혹 상품을 등록할 때 상품에 대한 정보를 대충 입력하는 경우가 있다. 그러나 제품에 대한 정확하고 상세한 입력은 매출과 직결된다는 것을 잊지 말아야 한다. 상품 등록 시 반드시 제품 하나하나의 정보를 충실하게 입력하도록 하자.

검색엔진은 출처에 대한 정보를 중요하게 생각한다

정확하고 빠른 검색 결과를 추구하다 보니 상품에 대한 정보 중에서도 중요한 것이 제품에 대한 출처다. 제품이 어디에서부터 출발된 것인지 확인하는 항목은 제조사, 브랜드, 모델명, 페이지 타이틀(page title), 메타디스크립션(meta description) 등이다.

제조사

제품을 제조한 제조사에 대한 정보를 기재한다. 제조업체의 경우 회사명을 그대로 작성하면 되지만 제품을 어디에선가 가져와서 판매하는 경우 제품을 제조한 제조사를 확인하여 기재한다.

아래의 예시에서는 삼성전자가 제조사가 된다.

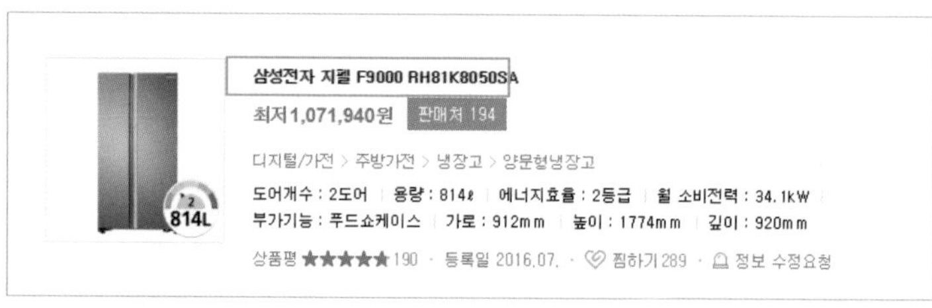

브랜드명

삼성이 회사명이면 지펠은 브랜드명이다. 브랜드 이름이 있는 제품을 가져와서 판매하는 경우 해당 브랜드명을 그대로 기재하면 되지만 내 제품을 내가 직접 생산해서 판매하는 경우는 브랜드명을 판매자가 만들 수 있다. 다만 브랜드명이 법적으로 보호를 받기 위해서는 상표권을 내는 것이 좋다.

모델명

위의 예시에서 보면 'F9000 RH81K8050SA'가 모델명이다. 제조사는 한 브랜드 내에 다양한 상품이 나오는 경우 그 상품을 식별하기 위해서 모델명을 사용한다. 모델명 또한 브랜드명과 마찬가지로 직접 생산하는 경우 판매자가 만들 수 있다.

그리고 제조사, 브랜드명, 모델명 기재 시 검색엔진이 이 영역을 중요하게 읽어가기 때문에 검색엔진이 인식하도록 하는 작업이 중요하다. 예를 들어 제조사는 '비즈온에듀'이지만 '인스타그

제조사와 브랜드명, 모델명을 기재할 때 제품을 설명하는 문구를 함께 넣으면 좋다.

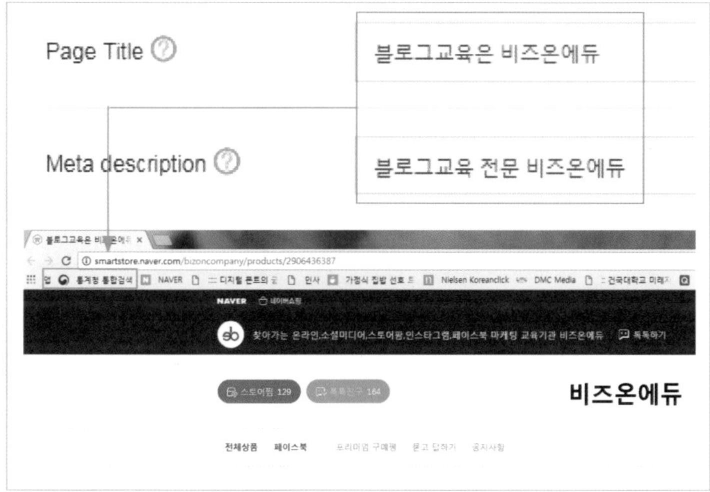

페이지타이틀과 메타디스크립션 등 어디든 브랜드명이 들어가는 곳에 설명문구를 넣으면 홍보에 효과적이다.

램 마케팅 교육'이라는 검색어를 같이 넣어서 비즈온에듀는 인스타그램 마케팅 교육을 하는 곳이라는 것을 인식시키는 것이다. 브랜드와 모델명에도 마찬가지다.

또한 페이지타이틀과 메타디스크립션에 부분에도 브랜드명과 함께 대표적인 설명 문구를 함께 넣으면 좋다. 페이지타이틀은 페이지에 들어갔을 때 가장 상단 왼쪽에 쓰여 있는 것을 확인할 수 있다. 참고로 페이지타이틀은 페이지 제목을 뜻한다. 메타디스크립션은 페이지에 대한 설명 문구를 작성하는 것이다. 이 두 곳에 검색엔진을 통해 검색이 될 수 있는 키워드를 넣어서 작성하는 것이 중요하다.

제조사, 브랜드, 모델명, 페이지타이틀, 메타디스크립션 항목은 검색엔진이 정보에 대한 출처를 파악하는 항목이다. 5곳 모두에 관련 문구를 넣으면 출처에 관한 점수를 높게 받을 수 있다.

이것이 궁금해요

Q. 화장품 카테고리의 세부 속성을 기재할 때 '사용효과' 부분에 기재하면 안 되는 것이 있다던데 무엇인가요?

A. 최근 식약처에서 화장품 효과 부분에 대해 새로운 가이드라인을 제시하였습니다. 이는 네이버에서 금지하는 것이 아니라 식약처에서 금지하는 것으로 상품을 등록할 때 반드시 지켜야 하는 부분입니다. 삭제된 세부속성은 다음과 같습니다.

살균, 슬리밍, 셀룰라이트 제거, 근육통 예방, 지방 분해, 지방 연소, 습진 제거, 무좀 제거, 티눈 제거, 티눈 재생 예방, 세균 억제, 혈액순환 촉진, 가려움 방지, 속눈썹 증모, 붓기 감소

구매자에게 혜택을 더 주는 판매자를 우대한다

네이버쇼핑 목록에서 보면 포인트에 대한 부분이나 할인금액, 추가 할인, 무료배송 등의 혜택들이 보인다. 네이버는 같은 카테고리에서 비슷한 제품라인을 판매하는 경쟁자 기준으로 상대평가를 한다. 동일한 상품을 파는 판매자라도 조금이라도 구매자에게 혜택을 더 주는 판매자를 우대하는 것이다. 이를 적극적으로 판매하고자 하는 의지로 해석하기 때문이다.

구매자에게 주는 혜택에 대한 부분은 가산점 영역이다. 가산점은 곧 검색시 노출과 연결된다. 따라서 판매자가 구매자에게 주는 혜택 항목별로 자세히 알아두어야 한다.

복수구매할인

판매가에 기본적으로 적용하는 할인가 외에 추가로 적용하는 할인을 말한다. 금액 또는 수량으로 설정 가능하다. 예를 들어 제품을 2개 선택하면 정가가 246,000원일 경우, '200,000원 이상 구매시 2,000원 할인'이 되는 복수구매할인을 적용하면 실제 고객이 결제하게 되는 가격은 '246,000-2,000'이므로 244,000원이 된다.

포인트 지급

판매자가 구매에 따라 지급하는 적립금을 의미한다. 구매 고객이 포인트의 혜택을 받는 만큼 판매자의 정산금에서 차감된다. 모든 정산은 네이버에서 진행한다.

포인트를 쌓은 구매자는 다른 제품을 구매할 때나 추후 또 다른 상품을 구매할 때 포인트를 적용해서 구매할 수 있다. 포인트의 경우 '상품 구매 시 지급', '구매평 작성 시 지급' 두 가지로 지정할 수 있다.

물품을 구매한 고객이 물품을 받으면 스마트스토어 마켓으로부터 "주문하신 상품 받으셨나요? 받으셨다면 구매확정해주세요."라는 메시지를 받는다. 제품에 대해 구매확정을 누르면 구매후기를 작성하게 된다.

구매후기의 개수는 온라인쇼핑에서 강력한 홍보 수단이라 할 수 있다. 판매자가 구매평 작성 시 포인트를 지급하는 것으로 체크하면 고객은 포인트를 받기 위해서라도 구매평을 작성하는 경우가 많다. 따라서 상품을 구매하는 고객 전원에게 포인트 혜택을 주는 것도 좋지만, 구매평을 작성한 고객에 한해서 포인트를 지급하는 방식으로 운영하기를 권장한다.

스토어찜 할인

'스토어찜'을 하고 구매한 고객에게 적용되는 추가 할인 혜택이다. 스토어찜은 나의 스마트스토어를 즐겨찾기한다는 의미이다.

무이자 할부

고객에게 주는 혜택 중에 가장 큰 혜택이다. 3개월, 6개월, 9개월, 12개월 단위로 설정 가능하다. 개월 수가 많을수록 판매자가 부담하는 이자가 더 커진다. 그래서 무이자 할부 혜택 개월 수가 높을수록 네이버 측에서 가산점이 크게 준다.

판매자가 부담하는 이자는 무이자 할부를 설정했다고 해서 모든 구매자에게 적용되는 것이 아니라 무이자 할부를 선택한 구매자에 한한다.

이것이 궁금해요

Q. 할인을 설정한 거 외에 롯데카드 할인가가 붙었어요. 이런 경우에도 판매자의 정산금에서 차감되나요?

A. 판매자가 설정한 혜택 외의 이벤트는 판매자가 부담하지 않습니다. 종종 카드사에서 네이버와 제휴를 맺고 수수료를 지원해주는 프로모션을 진행하는 경우가 있습니다. 이때 보통 판매자에게 프로모션 혜택에 대한 동의를 구하고 진행하기도 합니다. 만약 동의를 한 적이 없고 혜택을 적용한 적도 없었는데 정산금에서 차감되었다면 스마트스토어 고객센터를 통해서 확인하면 됩니다.

제품의 가격은 판매자의 이익과 관련된 문제이자 소비자가 최종 소비를 하는 데에 있어서 결정적인 역할을 하기 때문에 가격 책정은 매우 중요하다. 네이버쇼핑 영역은 최저가 비교가 바로 되기 때문에 특히나 가격에 관련된 부분은 민감하다.

가격은 크게 판매가, 할인가, 옵션가로 나누어진다. 그렇기 때문에 일종의 미끼 역할을 하는 대표가격을 만들어 클릭을 유도하는 것이 좋다. 최종소비자 결제가는 '(판매가 - 할인가) + 옵션가'이다.

다음의 예시를 보면 유아동 원피스 종류가 8가지가 있는데 각각 가격이 다르다. 이 상품들을 하나로 등록하려면 어떻게 해야 할까.

상품번호	최종 소비자가	판매가	옵션가
1	50,000원	34,000원	16,000원
2	65,000원	34,000원	31,000원
3	**34,000원**	**34,000원**	**0원**
4	42,000원	34,000원	8,000원
5	**45,000원**	**34,000원**	**11,000원**
6	67,000원	34,000원	33,000원
7	38,000원	34,000원	4,000원
8	40,000원	34,000원	6,000원

우선 판매가를 34,000원으로 설정했을 때 판매가가 10,000원 이상인 경우에 옵션가 정책에 따라 판매가 기준 옵션 가격을 '-50~+50%'까지 붙일 수 있다. 그렇다면 34,000원에 함께 등록이 가능한 가격대는 17,000원부터 51,000원인 상품이다. 2, 6번 상품의 경우 판매가가 65,000원, 67,000원으로 51,000원을 넘어선 가격이기 때문에 함께 등록하기 어렵다.

만약 1~8번까지 모든 상품을 함께 등록하려면 판매가를 어떻게 설정하는 것이 좋을까? 판매가를 4,5000원으로 설정하면 된다. 이 경우도 판매가가 10,000원 이상인 경우에 해당되기 때문에 기준가의 '-50~+50%'까지 붙일 수 있다.

그렇다면 22,500~67,500원까지의 상품을 같이 묶어서 등록이 가능하다. 다시 말해 최저가인 34,000원과 최고가인 67,000원이 모두 22,500~67,500원 범주 안으로 들어가므로 엮어서 등록할 수 있다.

이것이 궁금해요

Q1. 상품 옵션별로(상품 종류/용량/사이즈 등) 옵션가 기준이 넘어가는 상품을 판매 중입니다. 어떻게 등록하면 가장 효과적일까요?

A. 가격 차이가 많이 나는 옵션이나 종류가 다른 상품은 별도의 상품번호로 분리하여 등록하는 것이 좋습니다. 우선 네이버가 권장하는 판매가와 옵션가 기준 내에서 상품을 엮어서 등록해야 합니다. 상품명에는 용량, 사이즈 등 구분한 옵션이나 기준을 반드시 표시해야 합니다.

Q2. 최근 옵션가 제한이 변경된 것으로 알고 있는데 어떻게 변경되었나요? 또 변경이 되지 않은 카테고리도 있나요?

A. 최근 네이버에서는 옵션가 제한을 다음과 같이 변경하였습니다. 판매가 2,000원 미만일 때, 변경 전 '0~+10,000원'에서 변경 후 '0~+100%'로, 2,000원~10,000원 미만일 때, 변경 전 '–50%~+10,000원'에서 변경 후 '–50~+100%'로, 10,000원 이상일 때, 변경 전 '–50~+100%'에서 변경 후 '–50~+50%'이 되었습니다.
변경에서 제외된 카테고리는 '가구/인테리어>커튼/블라인드>블라인드, 콤비블라인드, 롤스크린, 버티컬, 실커튼, 자바라', '가구/인테리어>커튼/블라인드>커튼>커튼링/봉', '가구/인테리어>DIY자재/용품>벽지, 시트지, 바닥재, 목재', ' 가구/인테리어>수예>원단', ' 가구/인테리어>주방가구>싱크대', ' 생활/건강>공구>포장용품>택배박스'입니다.

TIP : 스마트 플러스

복사 기능을 활용하여 상품등록 시간을 단축하라

판매를 시작하면 초반에 상품을 등록하는 데 시간 투자를 가장 많이 한다. 최대한 상품 등록을 하는 시간을 단축하는 것은 생산성 확대와 연결된다. 복사 등록 기능을 활용하면 효과적이다. 복사 등록은 말 그대로 복사해서 상품을 등록하는 기능이다. 복사 등록의 기능은 다음과 같은 상황일 때 활용하면 도움이 된다.

예를 들어 A라는 헤어오일을 등록했는데 B라는 트리트먼트도 올려야 하는 경우, 처음부터 상품 등록을 해서 올리기에는 올려야 하는 항목이 많다. 비슷한 제품군을 올릴 때 그전에 등록한 제품과 비슷한 항목이 많기 때문에 복사 등록 기능을 활용해서 등록을 하면 유용하다.

헤어오일을 등록한 내용을 그대로 가져와서 트리트먼트와 관련된 항목만 바꾸면 된다. 초반에는 시간 투자가 많이 되겠지만 갈수록 시간을 줄여야 하는 부분이 바로 상품등록이다. 복사 등록 기능을 유용하게 활용해보자.

고객이 넘쳐나는 쇼핑몰 만들기

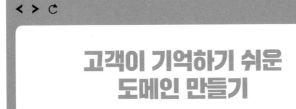

고객이 기억하기 쉬운 도메인 만들기

"강사님, 제가 상품을 등록하고 아무것도 하지 않았는데 물건이 팔렸어요. 스마트스토어 너무 쉽네요."

간혹 이렇게 말을 하는 판매자들이 있다. 이렇게만 된다면 마케팅도 네이버쇼핑의 정책 분석도 필요 없을 것이다. 그러나 현실은 그렇지 않다. 아무것도 하지 않았는데 물건이 팔리는 것은 그저 운일 뿐이다.

신규 판매자 우대 정책

네이버는 온라인 마켓 시장에 뛰어들어 몇 년간을 스마트스토어에 대한 시장 가능성을 검토해왔다. 그리고 그것에 대한 검증이 끝나자마자 공격적으로 기존 판매자들에게 혜택을 주는 정책과 신규 판매자 유치를 위한 마케팅을 진행하고 있다. 특히 신규 판매자가 등록한 상품과 관련해서는 노출에 대한 우대정책을 실시하고 있다. 그래서 아무것도 하지 않았는데 물건이 팔리는 판매자가 있는 것이다.

"제 상품이 처음 등록했을 때부터 1페이지에 잘 노출되더니 언젠가부터 순위가 확 떨어졌어요. 매출도 완전 줄었구요."

너무 쉽다고 싱글벙글하던 판매자가 순식간에 울상이 되어 이렇게 말한다. 이는 냉정하게 말해서 원래 제자리로 되돌아왔을 뿐 순위가 떨어진 것은 아니다. 그전이 오히려 우대를 받은 것뿐이다.

가장 좋은 마케팅은 손님이 먼저 우리에게 다가오는 것이겠지만 고객이 나를 찾아오게 하려면 반드시 그에 합당한 이유가 있어야 한다. 신규 가입으로 상위 노출 혜택을 받는 판매자는 언젠가는 떨어질 순위를 대비해서 마케팅을 더 적극적으로 해야 한다.

웹사이트에 스마트스토어명 등록

스마트스토어에 가입하고 상품을 등록하고 난 이후에 해야 할 일은 스마트스토어명을 네이버에서 검색했을 때 사람들이 찾을 수 있도록 웹사이트 영역에 등록하는 작업을 해야 한다. 스마트스토어센터에서 '노출채널관리>비즈니스서비스' 설정 영역에 가면 네이버 사이트 검색 등록을 하는 곳이 나온다.

필자가 비즈온에듀 교육 상품을 올리기 위해서 스마트스토어

소개글은 검색 시 웹사이트에 보이므로 상품을 매력적으로 보이게 할 문구를 넣어야 한다.

에 가입을 한 뒤 교육 상품을 올리고 사이트 등록을 눌렀다. 하루 뒤에 네이버에 비즈온에듀를 검색해보니 웹사이트 영역에 스마트스토어가 검색되어 나오는 걸 확인할 수 있었다.

고객에게 네이버에서 스토어명을 검색하게 했을 때 스마트스토어가 웹사이트 영역에 나오는 것은 가장 첫 번째로 해야 할 일이다. 나의 스토어가 있다는 걸 사람들에게 알리는 첫 작업이다.

위의 화면에서 보면 비즈온에듀 검색 시 웹사이트 영역에 스토어명만 나오는 것이 아니라 '찾아가는 온라인, 소셜미디어, 스토어팜, 인스타그램, 페이스북 마케팅 교육기관 비즈온에듀'라는 소개 글도 함께 노출되는 것을 확인할 수 있다. 소개글은 웹사이트 영역에서 반영되어 나오니 최대한 고객들에게 어필할 만한 문구를 쓰는 것이 중요하다.

웹사이트 영역에 검색 반영을 신청하고 난 이후에는 온라인상에서 마케팅을 할 때 쓸 이름과 함께 스마트스토어 주소를 구매하는 것도 좋은 방법이다. 인터넷상의 주소를 '도메인(domain)'이라고 부른다.

필자가 운영하는'비즈온에듀' 스마트스토어를 찾아오려면 고객은 인터넷 주소창에 검색어를 입력하거나 주소창에 주소(https://smartstore.naver.com/bizoncompany)를 입력해야 한다.

스마트스토어에 가입할 때 스토어 주소를 작성하게 되어 있는데, 도메인을 따로 구매해서 마케팅을 하는 경우가 많다. 도메인은 후이즈(whois.co.kr), 가비아(www.gabia.com) 등에서 구매할 수 있다. 이때 스토어명과 연관성이 있는 도메인을 구매하는 것이 좋다. 관련 없는 도메인을 구매하는 경우 고객들이 기억하기 어렵다. 참고로 한글 주소는 호환이 안 된다.

이렇게 구매한 도메인을 인터넷 주소창에 입력하여 스마트스토어 홈으로 이동하면 이동하는 순간 스마트스토어 주소로 변경된다. 설정 완료 후 판매자센터에서 도메인을 등록하는 데는 최대 24시간이 소요될 수 있다.

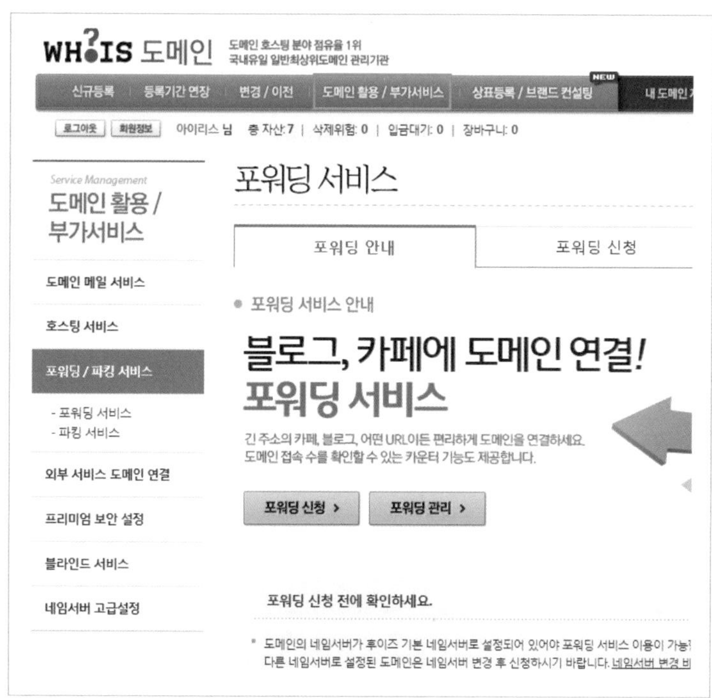

'후이즈'에서 원하는 도메인을 구매한 경우 도메인활용/부가서비스를 클릭하면 신주소와 구주소를 연결할 수 있는 '포워딩 신청'을 하면 된다.

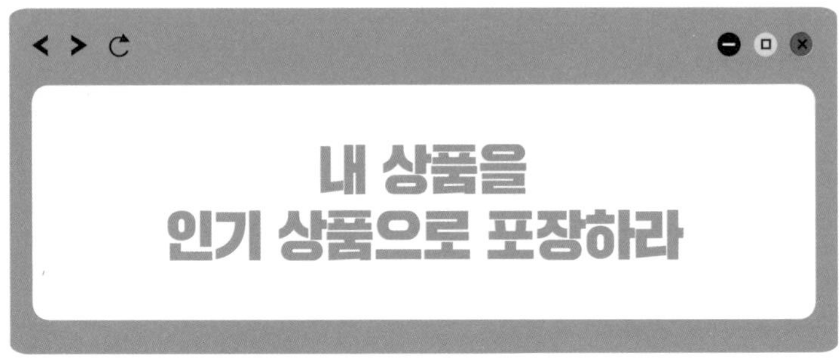

내 상품을 인기 상품으로 포장하라

스마트스토어에는 '찜'을 할 수 있는 기능이 있다. '찜=즐겨찾기' 라고 생각하면 이해하기 쉬울 듯하다. 찜은 2가지가 있다. 스토어찜 그리고 상품찜이다. 일명 스마트스토어찜을 '스찜', 상품

찜을 '상찜'이라 부른다.

스토어찜은 스마트스토어를 즐겨찾기 하는 거고, 상품찜은 판매하는 상품을 즐겨찾기 하는 것을 뜻한다. 스마트스토어는 네이버 내의 나만의 쇼핑몰이기도 하지만, 네이버쇼핑 영역에 다이렉트로 상품을 등록하는 서비스이기도 하다.

스마트스토어 정의를 생각해봤을 때는 스토어찜, 상품찜 둘 다 중요하다. 스토어찜, 상품찜의 개수가 많을수록 판매자를 평가하는 점수가 올라간다. 그래서 판매자들 중에 스토어찜을 해준 고객에게 할인혜택을 주는 등 이벤트를 진행하곤 한다.

스토어찜보다 상품찜이 중요하다

새로 개편된 매뉴얼에 고객 혜택 쿠폰을 만들 수 있는 코너가 생겼는데 항목에 스토어찜이 포함되어 있다. 스토어찜을 하는 고객에게 쿠폰 혜택을 주는 매뉴얼까지 제공되어 판매자로서는 스토어찜을 늘리기 위한 이벤트를 진행하기가 편해졌다.

쿠폰 발행을 할 수 있어서 그런지 스토어찜 이벤트를 하는 판매자는 많은데, 상품찜 이벤트를 하는 판매자는 찾아보기 힘들다. 스마트스토어를 통해 상품을 등록하면 네이버쇼핑 영역에 내 상품이 노출되고 그 상품을 보고 들어와서 구매하는 고객들이 대부분이다. 내 스마트스토어명을 검색해서 들어오는 고객이 많으면 좋겠지만 처음부터 그런 고객은 많지 않다. 거의 대부분 네이버쇼핑을 통해서 들어오는 고객이다. 즉 상품을 먼저 보고 들어

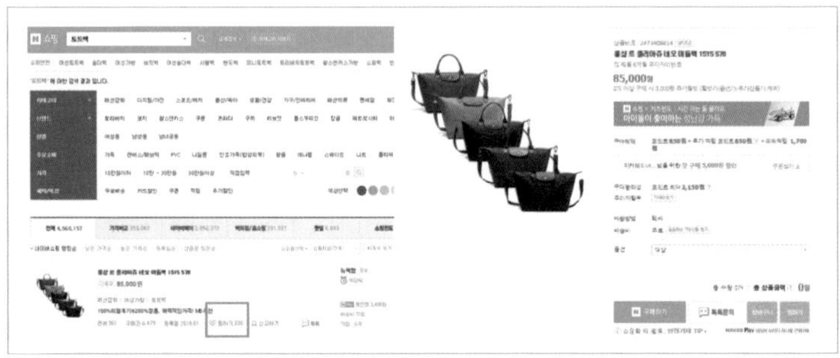

제품을 검색하면 하단에 '찜하기' 버튼이 보인다.

오는 고객이 많다.

네이버쇼핑 영역에 '토트백'이라고 검색하면 토트백 상품이 진열되어 나온다. 목록 리스트를 살펴보면 찜하기가 보이고, 그 옆에는 상품을 찜한 개수가 나온다. 목록 리스트에 보여지는 항목은 순위 산정에 중요한 요소다. 상품찜은 네이버쇼핑 영역 리스트에서도 볼 수 있고 상품을 보러 들어갔을 때 구매하기를 결정하는 버튼 옆에서도 확인 가능하다.

스토어찜이든 상품찜이든 개수가 많으면 판매자의 순위에 도움이 되지만 스토어찜보다 더 중요한 건 상품찜이다. 스마트스토어에 상품을 등록한 이후 무조건 마케팅의 1순위는 등록한 상품 하나하나에 대한 마케팅을 진행하는 것이다.

스마트스토어 및 상품 공유하기

내 상품에 대한 인기도를 평가하는 지표 중에 공유하기가 있다. 소셜미디어가 생기고 난 이후 소셜미디어의 가장 강력한 기능인 공유하기 기능이 각 마켓의 상품에도 붙기 시작했다. 내 상품을 한 고객이 다른 고객에게 공유하는 것이다.

스마트스토어에 등록한 상품에 대한 정보는 하나의 콘텐츠이므로 다른 채널로 유통시킬 수 있다. PC보다 모바일에서 활발하다. 특히 카카오톡과 카카오스토리까지 공유가 가능하다. 공유하기는 스토어 전체를 공유하거나 상품을 공유하는 방법이 있다.

스마트스토어에서는 공유를 '스공', 상품 공유를 '상공'이라 부른다. 내 상품이 공유되면 많은 사람들이 내 제품을 볼 수 있다. 많은 사람들이 내 상품을 공유해서 제품에 대한 정보가 SNS를 통해서 확산되게 하는 마케팅을 '바이럴 마케팅'이라고 한다. 판매자들은 공유하기를 유도하기 위한 이벤트를 진행하기도 하고, 공유하기를 수익화해서 운영되고 있는 사이트도 있다.

대표적인 사례가 '텐핑'이라는 곳이다. 이곳에 내가 홍보하고

제품 내용을 사용자가 직접 주변에 전달하는 '상품 공유하기'는 아주 좋은 바이럴 마케팅이다.

자 하는 제품을 올리면 텐핑에 가입되어 있는 사람들이 내 제품을 자신들의 소셜미디어에 공유하고 그 게시물을 통해서 매출이 일어나면 소문을 낸 사람에게 포인트를 적립해 혜택을 주는 형태로 운영되고 있다.

판매자들은 적극적으로 이런 사이트를 활용하여 많은 사람들이 내 제품을 볼 수 있게 바이럴 마케팅을 진행하는 것도 제품에 대한 노출과 매출을 올릴 수 있는 좋은 방안이 될 수 있다. 매출로 이어지는 것에 대해서 소문낸 유저에게 수익을 주는 것이니 마케팅 비용에 대한 리스크도 줄일 수 있다.

SNS로 소문내서 수익 낼 수 있는 사이트

- 텐핑 http://tenping.kr/
- 애드픽 http://adpick.co.kr/
- 애드릭스 http://www.adlix.co.kr/
- 앱트리 http://www.apptree.co.kr

트래픽 올인

트래픽(traffic)이란, 서버에 전송되는 모든 통신, 데이터의 양을 의미한다. 트래픽은 '교통'이라는 영단어다. 쉽게 설명하면 도로에 차가 많이 들어서 교통체증이 일어나는 현상을 말한다. 트래픽이 많아졌다는 것을 스마트스토어를 예시로 설명하면 내 스마트스토어에 고객의 유입이 많아지고 고객들이 상품을 많이 보고 있는 현상을 뜻한다.

트래픽은 또한 스마트스토어의 인기를 평가하는 요인 중 하나다. 트래픽과 관련해서 유의해야 할 점은 그저 많은 클릭이 일어난 것이 중요한 것이 아니라 실제로 고객이 들어와서 머물러 있는 시간이 중요하다는 점이다. 고객이 들어와서 얼마나 내 상품을 오랜 시간 동안 구경을 했느냐이다. 트래픽을 높이기 위해서는 스마트스토어에서 볼거리가 많아야 하고, 고객이 계속 머무를 수 있게 상품 상세페이지 콘텐츠를 잘 만들어야 한다.

네이버에서 요즘 선호하는 상세페이지는 스토리형 상세페이지다. 단순하게 상품에 대한 소개를 하는 것이 아니라 재밌는 책을 읽을 때 시간 가는 줄 모르고 읽듯 그렇게 읽히는 상세페이지를 만들라는 것이다. 그러면 저절로 고객이 내 상세페이지에서 머무는 시간이 길어진다라는 것이 네이버의 입장이다.

이제 단순 꼼수를 써서 마케팅을 하는 부분은 점점 의미가 없어질 것이고, 필자 또한 그러한 방향으로 가는 것이 맞다고 생각한다. 많은 사람들이 내 스마스스토어를 많이 방문할 수 있게 광고를 진행하거나 소셜미디어에 스마트스토어 링크를 넣어서 스마트스토어 방문자가 늘어나게 하는 것이 가장 우선시 되어야 한다. 그리고 내 스마트스토어에 볼거리가 많고 상품에 대한 소개페이지에 읽을거리가 많아야 한다.

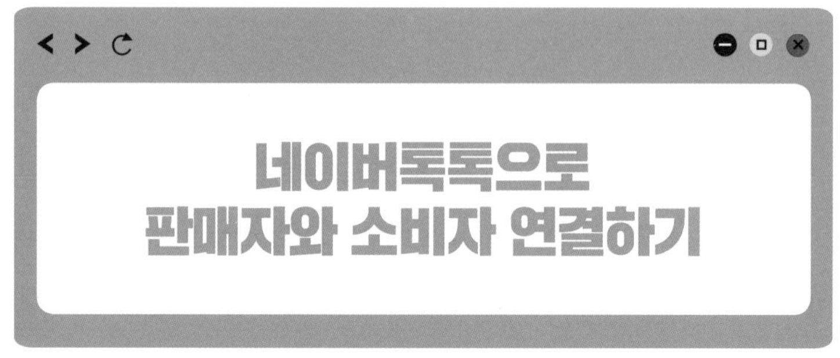

네이버톡톡으로 판매자와 소비자 연결하기

네이버톡톡은 판매자와 소비자를 연결하는 메신저로, 판매자와 구매자가 별도의 절차 없이 바로 대화할 수 있는 웹 채팅 서비스이다. 상담과 별개로 사업자와 친구를 맺을 수도 있다. 네이버는 2015년 9월부터 별도의 앱 설치나 친구 추가 없이도 판매자와

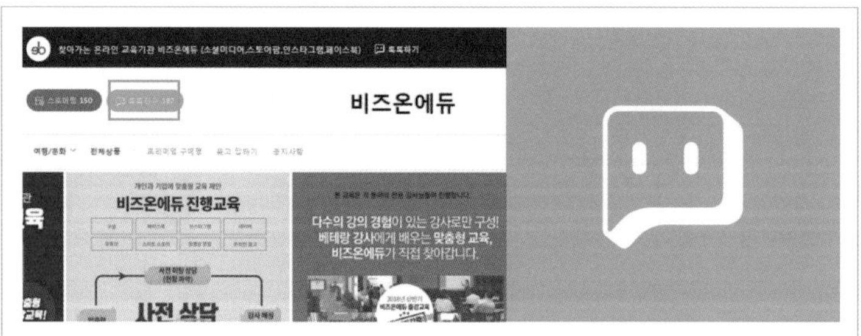

'톡톡'은 손쉽게 판매자와 연락할 수 있는 네이버 전용 메신저다.

소비자가 대화를 나눌 수 있는 실시간 쇼핑 문의 서비스인 네이버톡톡을 스마트스토어에 출시하고 운영 중이다.

네이버톡톡 친구 수 늘리기

네이버는 네이버의 활용도를 높이기 위해 네이버의 주력 채널을 네이버톡톡과 연결하는 것을 권장하고 있다. 연동 가능한 네이버 내 서비스는 스마트스토어, 네이버모두, 네이버페이 가맹점, 네이버예약, 부동산, 그라폴리오, 지도, 네이버 검색광고 일부, 블로그이다.

톡톡 메신저를 활용해서 판매자에게 상담을 많이 받는다는 것은 그 판매자의 상품에 대한 관심이 많다는 뜻이기도 하다. 네이버쇼핑 영역에 톡톡이라는 아이콘이 보이면 고객들은 자연스럽게 판매자에게 상담 요청을 하게 된다.

네이버톡톡에 친구 수가 많다는 것은 단골고객이 많다는 것을 의미한다. 그래서 톡톡친구 수 늘리는 이벤트를 진행하는 판매자도 있다. 톡톡친구 수는 스마트스토어 상단 영역에서 보여지며 숫자가 많을수록 상품의 상위 노출에 도움이 된다. 네이버 내 다양한 서비스에서 톡톡으로 유입되도록 하고 있다. 이는 네이버톡톡으로 연결해서 고객 관리를 극대화하라는 의미이기도 하다.

챗봇은 고객 상담 전문가

최근 네이버는 톡톡에 챗봇 기능을 강화해서 사용자를 더 늘리려고 하고 있다. 챗봇 기능은 인간과 대화하는 방식으로 정보를 처리하는 인공지능 기반 컴퓨터 시스템이다. 한마디로 '채팅 로봇'이다. 이용자가 문자나 음성으로 대화체 질문을 입력하면 챗봇이 적합한 결과를 문자나 음성으로 되돌려준다.

이미 24시간 운영되는 일부 쇼핑몰과 금융권 등의 고객 상담에 챗봇이 적용됐다. 챗봇은 소비자들이 하는 질문과 판매자들이 하는 질문을 계속 분석하여 단어의 앞뒤 정황을 파악해서 해석할 수 있다.

젊은 층에서 전화보다 메신저 사용 선호도가 높은 점을 고려할 때 향후 챗봇의 역할이 크게 증가할 것으로 전망된다. 네이버톡톡을 개발하게 된 것 역시 젊은 층이 전화 사용을 꺼린다는 점에서 시작됐다.

네이버톡톡은 소비자뿐만 아니라 판매자에게도 24시간 고객 응대에 매달려야 하는 불편함을 해소해주고 있다는 평을 받으며 사용자가 점점 증가하고 있는 추세다. 실제 톡톡 덕분에 직원이 3명에 불과한 지방 소규모 여성 의류 매장에서도 4개월 만에 월 1억 원의 매출을 올리는 성공 사례 등이 꾸준히 이어지고 있다고 네이버에서 발표한 바 있다. 아직 챗봇 자체를 잘 모르는 이용자가 많고 익숙하지도 않지만, 이용자가 편리하다고 느끼게 된다면 빠르게 자리를 잡을 것이다.

스마트스토어를 한다면 네이버톡톡 메신저와 반드시 연동하여 활용해야 한다. 또한 톡톡친구 수를 늘리는 이벤트 등을 진행할 것을 추천한다. 이외에도 블로그, 지도영역, 네이버 모두 등 네이버톡톡과 연결하고 있는 채널이 있다면 네이버톡톡으로 고객이 문의를 많이 할 수 있게 창구를 열어놓는 것이 좋다.

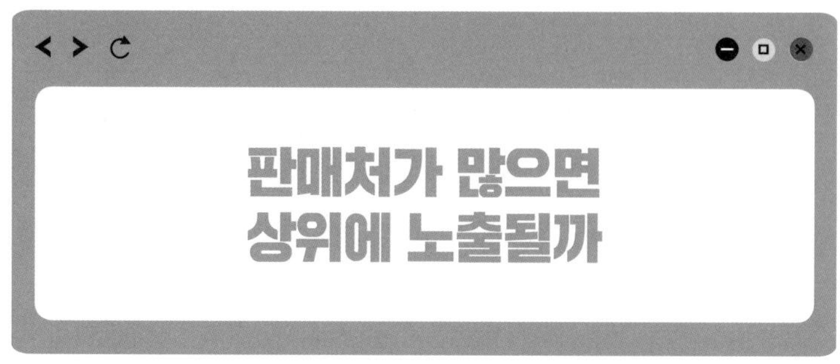

사람들이 네이버쇼핑 영역을 찾는 큰 이유 중 하나는 많은 제품을 비교해보고 싶기 때문일 것이다. 네이버쇼핑 영역은 가격비교 영역으로 사람들에게 잘 알려져 있다. 1장에서도 언급했듯이 쇼핑하는 사람들의 82.5%가 쇼핑을 하기 전에 네이버쇼핑에서 상품을 비교하는 것부터 시작한다고 한다. 네이버쇼핑의 가장 큰 매력은 온·오프라인에 있는 모든 상품이 모여 있어서 많은 상품을 비교할 수 있다는 점이고, 또한 같은 상품이 여러 개의 판매처에서 판매될 때 최저가를 빠르게 찾을 수 있다는 장점이 있다.

여러 판매처에 같은 물건 올리기

다음 예시를 보면 제품을 판매하는 판매처가 43개라고 나오는 것을 확인할 수 있다. 판매처 숫자가 많으면 우선 여러 곳에서 판매된다는 것을 의미하므로 고객에게 신뢰를 주는 요소가 된다.

판매처가 여러 곳일수록 고객이 제품을 살 확률이 높아지기 때문에 판매처를 늘리면 매출이 올라간다.

그리고 판매처 숫자는 네이버쇼핑 상위 노출에도 도움이 된다. 네이버쇼핑 영역을 찾는 사람들이 가격 비교를 하기 위해서도 많이 찾기 때문에 같은 제품을 여러 판매처에 올리는 것은 네이버쇼핑 영역의 취지와도 맞아떨어진다.

또한 앞의 예시처럼 43개의 판매처에서 생성된 리뷰 개수의

판매처가 많다는 것 자체만으로도 사용자에게 신뢰를 준다. 또한 모든 판매처의 리뷰 개수가 합산되어 네이버쇼핑 영역에 반영된다.

합이 네이버쇼핑 영역에 반영이 되기 때문에 리뷰 개수를 올리는 것에도 도움이 된다.

하지만 판매처가 많아지면 관리가 어려워진다. 그래서 판매처를 늘리고 싶지만 관리할 인원이 부족해서 포기하는 경우가 많다. 이런 경우를 위해 쇼핑몰 통합 솔루션을 소개하고자 한다.

쇼핑몰 통합 솔루션은 여러 개의 판매 채널에 한번에 상품을 등록하고 관리하는 프로그램이다. 통합 솔루션을 활용하여 여러 개의 판매처에 상품을 손쉽게 등록하고 관리하고 있는 판매자가 많다.

온라인 쇼핑몰 통합 솔루션

- 사방넷 http://www.sabangnet.co.kr/
- 샵링커 http://www.shoplinker.co.kr/

온·오프라인 통합 솔루션

- 이지어드민 https://www.ezadmin.co.kr/
- 셀메이트 https://www.sellmate.co.kr/

최저가인 마켓은 스마트스토어로

필자도 네이버쇼핑에서 구매할 때 맘에 드는 제품이 있으면 그 제품을 판매하는 여러 판매처 중에 최저가로 판매하는 곳을 선택한다. 네이버쇼핑 영역에 보면 '최저가 사러가기' 라는 버튼이 따로 생성되어 있다.

판매자 중에는 여러 판매처에 같은 물건을 올리고 주력하는 마켓의 판매가를 최저가로 낮춰서 그 마켓으로 매출을 집중시키는 경우도 있다. 예를 들어 G마켓, 옥션, 11번가, 스마트스토어에 같은 상품을 등록해서 판매하는데 그중에서 스마트스토어 가격만 다른 마켓보다 조금 더 낮춰서 등록하는 것이다.

고객은 대부분 구매할 제품이 결정되면 그 제품을 판매하는 판매처 중에서 최저가를 찾게 되는데, 스마트스토어가 최저가 마켓이라면 스마트스토어에서 살 확률이 높아진다.

네이버의 입장에서 보았을 때 타 마켓보다 자사에서 운영하는 스마트스토어에서 매출이 나오는 것을 더 선호할 수밖에 없다. 네이버 내에 있는 채널을 활용해서 마케팅을 잘하기 위해서는 네이버가 원하는 방향이 무엇인지 잘 아는 것이 중요하다.

이것이 궁금해요

Q1. G마켓과 11번가에 같은 상품을 등록했는데 네이버쇼핑 영역에 상품이 따로따로 나옵니다. 같이 묶여서 가격 비교가 되게 나오게 하려면 어떻게 해야 할까요?

A. 네이버쇼핑 영역에 상품이 비교되어서 나오는 경우 해당 상품이 같은 상품으로 인정을 받았다는 뜻이고 같은 상품을 판매처마다 최저가 순서대로 보여주게 됩니다. 이를 '가격 매칭'이라고 합니다. 네이버쇼핑 영역에 가격비교 매칭을 하고 싶은 경우 CPC 입점사와 스마트스토어 입점사 모두를 통해 직접 가격비교 매칭을 요청할 수 있습니다.

Q2. 저는 제품을 제조업체에서 받아와서 판매하고 있는데, 해당 제조업체도 온라인에서 판매를 하고 있습니다. 네이버쇼핑 영역에 제조업체와 저희가 올린 상품이 같이 엮여서 보여지고 있는데 제조업체가 저희보다 가격이 더 싸게 올려져 있어서 최저가로 맨 위에 나옵니다. 그러다 보니 저희 쪽에서 매출이 잘 안 나와요. 어떻게 하면 좋을까요? 그리고 같은 상품으로 엮이지 않았으면 좋겠는데 방법이 있을까요?

A. 상품을 공급받아서 소매로 판매하는 업체의 경우 상품을 공급해주는 업체의 상품과 묶여서 나오는 경우가 있습니다. 이런 경우 상품 공급업체에서 어떻게 해주느냐가 중요한데, 서로 가격을 동일하게 정해서 판매하는 것이 좋습니다.
즉 제조업체 측에서 가격에 대한 매너를 지켜주는 것입니다. 하지만 공급업체 쪽에서 최저가로 판매를 하는 경우가 많습니다. 제조업체와 소매업체가 같은 상품으로 엮이면 최저가가 맨 위에 노출되니 제조업체가 맨 위에 노출됩니다. 결국 제조업체 좋은 일만 시키는 꼴이 됩니다.
이럴 경우에는 가격비교에 매칭이 되지 않게 하는 것이 중요합니다. 그러려면 같은 상품처럼 보이지 않게 상품을 등록하거나 제품 이미지부터 상품명, 그 외 제품에 대한 항목 하나하나를 같은 상품으로 보이지 않게 등록하면 됩니다. 특히 그중에서도 고객에게 가장 먼저 노출이 되는 상품 대표(목록)이미지와 상품명을 신경써야 합니다. 그리고 상품에 대한 정보를 중요하게 보기 때문에 제조사, 브랜드, 모델명을 다르게 올려야 합니다.

Q3. A라는 아이디로 상품을 하나 등록하고 B라는 또다른 아이디를 생성해서 상품을 등록하는 방식으로 등록했을 경우에도 같은 상품으로 매칭되는지 궁금합니다.

A. 아이디를 다르게 등록했을 경우에도 같은 상품으로 엮여 가격 매칭이 될 수 있습니다. 다만 A라는 아이디와 B라는 아이디가 동일한 판매자로 판명되는 경우에는 가격 매칭이 되기 어렵습니다. 상호명은 다르지만 대표자 명이 같은 경우가 대표적인 사례입니다.

고객은 상품의 품질보다 후기에 현혹된다

네이버쇼핑에서 제품을 보다가 너무 맘에 드는 자켓을 발견했다. 그 자켓을 클릭하고 들어가서 상세페이지 내용을 보니 더욱 마음에 들었다. 구매해야겠다고 결심하고 후기를 보려는 순간 후기 개수가 0이라고 나온다. 순간 내가 마루타가 될 수도 있겠다는 불안감이 생긴다. 다른 곳에 똑같은 상품을 판매하는 판매자를 찾아야겠다는 생각이 든다.

후기 개수가 중요성하다

전자상거래 시장에서 고객의 구매 후기나 리뷰 등이 업체의 흥망을 좌우할 만큼 큰 영향을 주고 있다. 시장조사업체 DMC미디어가 발표한 '2017 소비자의 구매의사결정과정별 이용채널 및 행동패턴의 이해'에 따르면 소비자의 절반 이상인 53.2%가 제품이나 서비스 소비경험을 공유하는 것으로 나타났다.

공유 방법은 오프라인이 39.1%로 가장 많았고, 다음으로 온라인 쇼핑몰 리뷰 및 후기 작성이 29.8%라고 응답했다. 소비자들이 후기를 챙겨보는 이유는 구매에 대한 확신을 얻기 위해서다. 자신보다 먼저 사용한 사람들의 경험을 빌려 제품의 평판을 조사하고 구매 위험을 줄이려는 것이다. 특히 온라인 쇼핑에서는 상품 및 판매자를 직접 보지 못하는 특성 때문에 대다수의 소비자들은 앞선 구매자들의 상품평이나 구매 후기에 의존할 수밖에 없다.

그리고 제품에 대한 과도한 정보도 후기에 매달리게 하는 요인으로 꼽히고 있다. 제품 구매에 앞서 사양이나 가격 정보를 비교 분석하는 데 있어 피로감이 쌓인 나머지 앞서 경험한 소비자들이 분석한 내용이나 평가를 통해 시간을 절약하는 것이다.

내 상품을 설명하는 상세페이지가 상품에 대한 정보를 주고 왜 사야 하는지에 대한 설득 역할을 한다면, 구매후기는 고객이 내 상품을 선택할 수 있게 신뢰도의 마침표를 찍는 역할을 한다.

이렇게 구매에 절대적인 영향을 끼치다 보니 일각에서는 후기가 많이 쌓여 있는 상품페이지를 거래한다는 소문도 있을 정도다. 예를 들어 오프라인 상가 중에 장사가 잘되던 매장이 매물로 나오는 경우 권리금을 많이 줘야 하는 것처럼, 온라인에서도 권리금이 높아지는 것에 결정적인 역할을 하는 것이 바로 후기다.

후기는 상품페이지의 가치를 높인다. 필자가 아는 핸드폰 케이스 판매자는 제품이 팔릴 때마다 고객하고 통화를 했다고 한다. 물품은 잘 받았는지 만족했는지 고객과 통화하고 나면 특별히 당부하지 않아도 고객이 후기를 많이 남겨줬다고 한다.

스마트스토어 매장은 양수양도가 가능한 만큼 물건 판매를 하다가 판매량이 저조해서 사업을 접는 경우, 새로 창업을 시작하려는 사람에게 매장을 양수양도하는 사례가 많다. 양수양도받는 경우 처음부터 상품을 등록하고 시작하는 판매자보다 이미 축적된 데이터가 있어 적어도 0부터 출발하지 않아도 된다는 장점이 있다. 활성화된 매장일수록 권리금이 높아도 그 권리금을 주고 매장을 선택하는 것과 같은 이유다.

후기가 아예 없는 것보다 나쁜 후기라도 있는 게 낫다

온라인에서는 후기에 대한 평가를 하는 요소가 만족도에 대한 부분과 그리고 후기 개수 이렇게 크게 2개로 나누어진다. 온라인 쇼핑을 할 때 후기가 구매결정에 얼마나 영향을 끼치는지에 대한 조사가 진행된 바 있다.

미국 스탠퍼드 대학 연구팀은 대학 연구진이 성인 138명에게 온라인을 통해 휴대폰 케이스를 구매하도록 하고 후기에 관련하여 실험을 한 결과 온라인 쇼핑을 할 때 사람들은 상품의 품질보다 후기를 보고 현혹된다는 연구 결과가 나왔다.

A상품은 온라인상에서 만족도를 나타내는 별점이 높았고, B

상품은 별점은 높지 않았지만 리뷰 수가 125개나 더 많았다. 실험 참가자들이 A와 B 중 어떤 상품을 선택했는지 분석한 결과, B 상품에 대한 선호도가 높은 것으로 나타났다. 특히 남겨진 후기에는 상품의 품질이 별로라거나 디자인이 별로라는 등의 나쁜 후기도 있었지만 그럼에도 B상품에 대한 선호도가 높았다.

판매자 입장에서는 나쁜 후기가 올라오면 참 신경 쓰이고 때로는 없애고 싶다는 생각이 들기도 한다. 모든 이용 후기가 좋겠지만 좋지 않은 후기도 당연히 있을 수 있다. 어쨌든 제품을 구매하고자 하는 사람들에게는 좋은 후기든 나쁜 후기든 전부 도움이 되는 정보다. 소비자들은 상품 구매를 결정하기 전에 후기의 내용을 분석하기보다는 후기의 개수에 현혹되어 구매로 이어진다.

위 실험을 한 연구진은 이와는 별개로 세계 최대 온라인 쇼핑몰 아마존 닷컴에서 판매되는 35만 개에 달린 후기 1,500만 개를 분석해본 결과 상품의 만족도를 나타내는 별점과 후기의 개수와는 큰 관련이 없는 것으로 나타났다고도 밝힌 바 있다. 즉 후기의 개수가 많다고 해서 만족도까지 높아지는 것은 아니라는 것이다.

또 다른 연구결과도 있다. 미국 인디애나 대학 켈리비즈니스스쿨 연구진은 지난 2014년 초 3개월간 새로 발매된 음반 182종에 대한 아마존닷컴 후기 및 판매 실적을 조사했다. 비슷한 연구를 참고해 연구의 기반을 좀 더 확실하게 하고자, 카메라 장비 구매 후기를 남긴 사람들의 데이터도 분석했다. 구매에 끼치는 영향력은 리뷰어의 유형과 후기 스타일에 따라 상이했다.

상위 리뷰어의 경우 후기를 길고 전문적이고 형식에 맞춰 체계적으로 작성하는 경향을 보였다. 그러나 영향력은 낮은 편이었다. 오히려 자유로운 형식으로 적게 작성하는 사람들이 구매에 끼치는 영향력은 더 큰 것으로 나타났다. 리뷰의 영향력은 제품 출시 시기에 따라서도 달랐다. 출시된 지 오래된 제품일수록 상위 리뷰어의 영향력은 줄어들고, 하위 리뷰어들의 영향력이 증가했다.

어쨌든 '후기에 대한 고객들의 신뢰는 후기 만족도에 대한 부분보다 개수에 대한 부분에서 구매결정으로 이어진다.'라는 조사 결과가 연이어 발표됨에 따라 각 마켓에서는 판매자를 평가하는

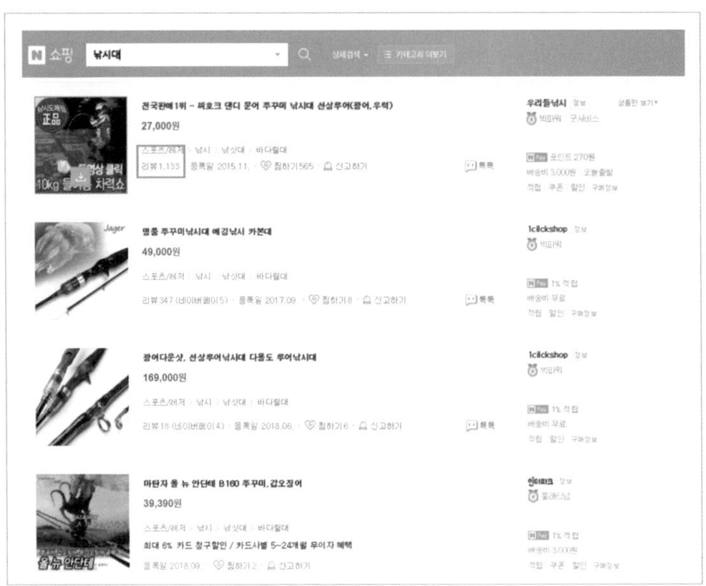

압도적으로 많은 후기는 사용자에게 큰 신뢰감을 준다.

요소를 후기 만족도에서 후기 개수에 대한 부분으로 비중을 더 두어 평가하고 있다.

일례로 '낚시대' 검색 시 1위에 나오는 업체를 보면 상위권에 노출되어 있는 다른 업체와 비교해보았을 때 상품명에 많은 키워드가 들어가 있다. 그럼에도 1위인 이유는 후기의 개수가 압도적으로 많기 때문이다.

후기 작성 고객에게 혜택 주기

시장조사업체 DMC미디어가 발표한 '2017 소비자의 구매의사결정과정별 이용채널 및 행동패턴의 이해'에 따르면 10명이 구매하면 약 1.5명 정도가 후기를 작성한다. 필자도 온라인 쇼핑을 자주 하는 편인데 쇼핑을 하고 나면 해당 쇼핑몰에서 문자가 온다. "고객님 제품 잘 받으셨나요? 제품이 맘에 드신다면 구매 확정을 눌러주세요."라는 메시지다.

구매확정을 누른다는 것은 제품을 말 그대로 구매를 확정하겠다는 뜻이며, 구매확정 버튼을 누름과 동시에 구매 후기를 작성해야 한다. 앞에서 언급한 대로 고객의 후기는 많을수록 좋다. 하지만 고객 10명 중 평균 1.5명이 후기를 작성한다는 조사 결과에서 알 수 있듯이 많은 후기를 생성하는 것은 쉬운 일은 아니다.

필자가 권하는 가장 쉬운 방법은 혜택을 주는 것이다. 스마트스토어에 상품 등록 시 고객에게 지급하는 포인트를 설정하는 영역이 있는데, 구매평 작성시 포인트를 지급할 수 있게 설정할 수

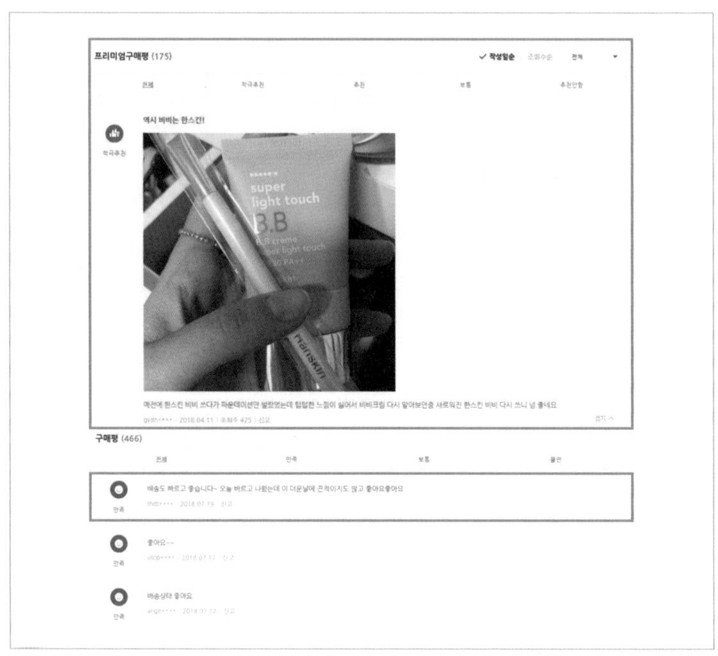

사진을 첨부할 수 있는 프리미엄 후기(위)와 일반 후기(아래)

있다.

후기의 종류도 일반 후기와 프리미엄 후기로 나누어진다. 일반 후기는 텍스트로만 짧게 남기는 형태이고, 프리미엄 후기는 사진과 짧은 영상과 함께 100글자 이상 텍스트 후기를 남겨야 한다. 일반 후기를 남긴 이후에도 프리미엄 후기를 작성할 수 있다. 일반 후기보다 프리미엄 후기 작성이 고객 입장에서는 더 시간이 들어가기 때문에 판매자들은 보통 프리미엄 후기에 적립금을 더 많이 지급한다.

예를 들어 일반 구매평 작성 시 300포인트, 프리미엄 구매평 작성시 500포인트를 지급하는 것으로 설정했다고 가정해보자. 이 경우 프리미엄 구매평을 작성한 고객에게는 일반 구매평에 지급되는 300포인트와 프리미엄 구매평에 지급되는 500포인트를 합산해서 800포인트가 지급된다. 그리고 후기는 2개가 생성되게 된다. 후기를 남기는 이들에게 포인트로 적립금을 주는 것은 판매자가 스마트스토어 매뉴얼 기능을 활용해서 쉽게 적용해볼 수 있는 부분이다.

적립금 혜택을 지급하는 방법 외에도 구매평을 작성해주는 고객에게 경품을 지급하는 방법도 있다. 이때는 경품을 따로 발송해야 하므로 관리에 신경을 써야 한다. 후기 작성 시 포인트를 지급하는 혜택을 주었을 경우 그렇지 않은 경우보다 후기 생성 속도가 더 빠르다.

가짜 리뷰 작업은 금물

최근 '드루킹사건' 등으로 인터넷 댓글 여론 조작이 이슈가 되었다. 그동안 온라인에서 특정 제품에 대한 후기와 댓글 작업이 공공연하게 행해져왔다. 이런 부정적인 사건들로 인해 온라인상의 댓글과 후기에 대한 신뢰도가 떨어졌다. 떨어진 신뢰도를 올리기 위해 이커머스 업계는 소비자 리뷰와 댓글의 신뢰성을 높여 구매 후기의 이점을 살리는 데 주력하고 있다.

11번가는 '리뷰 랭킹 시스템'을 마련해 리뷰 관리를 하고 있다. 상품 리뷰와 리뷰 작성자를 랭킹 시스템을 통해 걸러 신뢰할 수 있는 리뷰를 먼저 노출시킨다. 노출되는 순서인 리뷰 랭킹을 통해 동일한 내용을 반복적으로 올리거나 의미 없는 내용을 작성한 리뷰는 골라낸다. 또한 상품 리뷰를 사용성, 가격, 디자인, 크기, 서비스, 색상, 품질 등 15개 구매 고려 항목으로 구분했다. 사후 AS가 중요한 고려 항목인 전자제품의 경우 고객지원 항목을 추가시키고, 기타 카테고리 또한 제품의 특성에 맞게끔 상품 리뷰를 세분화했다. 이에 따라 소비자는 원하는 정보를 빠르게 찾고 구매 시간을 절약할 수 있게 됐다. 또 전체 리뷰 중에서 다른 소비자들에게 도움이 될 만한 좋은 상품평을 쓴 리뷰어를 추려 상단에 노출한 '랭킹 시스템'으로 리뷰를 관리하고 있다.

쿠팡은 리뷰 조작을 차단하기 위해 '신뢰도 평가 시스템'을 자체 개발했다. 어뷰징의 특징과 패턴을 자동 분석해 리뷰가 조작되는 것을 사전에 막는다. 동일 IP를 통해 반복적인 다수의 리뷰가 작성될 경우 이에 대한 확인 작업에 들어가는 방식이다. 쿠팡은 리뷰 키워드 검색을 통해 원하는 내용만 선별해 살펴볼 수 있는 기능도 도입했다. 또 글부터 사진, 동영상까지 다양한 형태로 리뷰를 올릴 수 있어 더 세세한 정보를 공유할 수 있게 했다.

위메프는 구매후기 모아보기 카테고리를 통해 소비자가 사진이 포함된 세부적인 정보를 확인할 수 있도록 운영하고 있다. 위메프는 비속어와 상품평과 연관이 없는 부적절한 리뷰, 선정적인 이미지 등에 대해서는 자체 개발한 솔루션을 통해 다른 이용자가 볼 수 없도록 '블라인드' 처리하고 있다. 특히 리뷰 열람 중 불편을 느끼면 신고 기능을 통해 해당 리뷰에 대해 문제를 제기할 수 있다.

티몬은 우수 리뷰에 적립금을 주는 방안을 시범 운영하고 있다. 더불어 리뷰 관리시스템을 개선하기 위해 구체적인 방법을 찾고 있다.

이커머스 업체들이 이렇듯 인력과 비용을 들여 투명한 상품 리뷰 관리에 나서는 것은 업체 신뢰도와 직결되기 때문이다. 스마트스토어 또한 리뷰 조작에 관련해서 네이버톡톡을 통해 리뷰 조작을 한 사례를 찾아 제재를 가한다. 네이버에서 가짜 후기를 지속적으로 걸러내는 정책 및 솔루션을 더 강화하고 있다. 가짜 후기 절대 작업은 금물이다.

온라인 쇼핑의 경우 직접 제품을 살펴볼 수 없기에 실제 사용한 소비자의 의견이 구매 결정에 중요한 정보가 된다. 이 때문에 많은 국내뿐만 아니라 전 세계 이커머스 업체들이 상품 리뷰의 신뢰도 개선과 기능 개발에 많은 공을 들이고 있다.

구매후기가 몇 건 없는데도 상위 노출된 판매자의 비밀

네이버쇼핑 순위를 결정하는 요소에 어떤 것들이 있는지 아는 판매자라면 궁금해하는 것이 있다. 구매후기가 얼마 없는데도 상위에 노출되는 경우다. 실제로 수강생들이 자주 하는 질문이기도 하다. "이 판매자는 구매후기도 몇 건 없고 등록한 지 얼마 안 된 판매자인데 5위예요. 정말 이해가 안 돼요.", "이 판매자가 순위가 높은 이유를 모르겠어요."

어떻게 등록한 지 얼마 안 된 판매자의 순위가 높을 수 있을까? 그 이유는 신규 상품 순위 우대 정책에 있다. 네이버는 등록한 지 얼마 안 된 상품에 대해서 순위 노출 우대를 해준다. 높은 순위로 노출되면 판매 순위를 올리는 게 그다지 힘들지 않은 일이라며 여기는 판매자가 있다.

사실 그 순위는 그 상품의 실제 순위는 아니다. 신규 상품에 대한 순위 우대 혜택을 받고 실제 3~4개월 뒤쯤 순위가 급격하게 하락하는 것을 경험하면 판매자는 당황한다. 순위가 급격히 떨어지니 당연히 매출이 하락한다. 그래서 떨어진 순위를 다시 회복하는 부분에 대해서 문의를 많이 한다.

하지만 이는 순위가 떨어진 것이 아니라 원래 그 판매자의 순위로 복귀한 것뿐이다. 우선 이 부분부터 받아들여야 한다. 그렇다면 이와 같은 상황이 우리에게도 충분히 발생할 수 있는 일인데 어떻게 대처하면 좋을까?

우선 내 상품의 판매 실적이 다른 판매자보다 떨어지는데 순위가 상위에 노출되었다면 순위 우대 정책에 혜택을 받고 있음을 알아야 한다. 그리고 조만간 순위가 떨어진다는 부분을 미리 감안해야 한다. 그러므로 몇 개월 뒤 순위가 떨어지는 부분에 있어서 대처방안이 중요하다.

일단 순위 우대 정책을 받을 때 판매량을 끌어올리기 위한 마케팅에 집중해야 한다. 순위 우대 정책을 받고 있는 동안 계속 그 순위가 유지될 거라 생각하고 안일하게 대처해서는 안 된다. 순위가 상위에 노출되고 있는 상품을 집중적으로 광고하고 블로그, 인스타그램, 페이스북 등 다양한 채널을 통해 마케팅을 진행해야 한다. 그래야 몇 개 월 뒤 원상복구될 때 순위가 덜 떨어질 수 있다. 원상복구될 때 순위 변동이 없거나 오히려 실적이 좋아서 순위가 더 올라간다면 좋겠지만 그런 사례는 보기 드물었다.

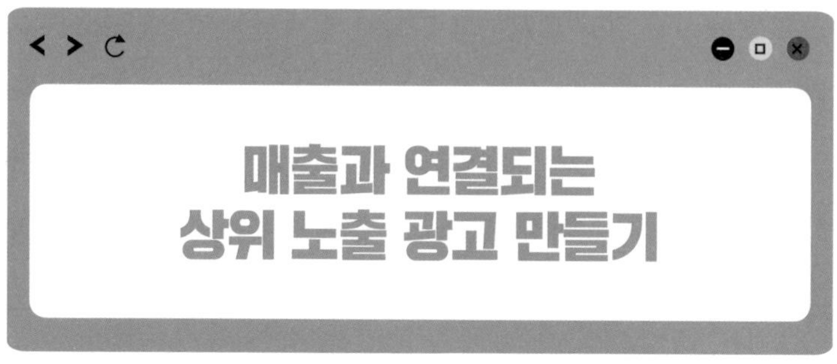

매출과 연결되는 상위 노출 광고 만들기

원피스를 구매하고 싶어서 네이버 검색창에 원피스를 검색해 보면 '파워링크' 영역이 보이고 그 아래에는 '네이버쇼핑' 영역이 자리잡고 있다. 파워링크 옆에는 "'원피스' 관련 광고입니다."라는 글자가 보인다. 광고인 줄은 알지만 맨 위에 보여지는 정보라 자연스레 클릭해서 쇼핑몰에 들어가서 구경을 한다.

원피스 외에 다른 키워드를 검색해봐도 가장 먼저 접하는 영역은 파워링크다. 표준국어대사전에 따르면 광고는 "상품이나 서비스에 대한 정보를 여러 가지 매체를 통하여 소비자에게 널리 알리는 의도적인 활동"이다.

네이버는 그동안 파워링크에 나오는 이 광고로 많은 수익을 올렸다. 가장 상단 영역에 보여지기 때문에 제품을 판매하는 판

광고임을 알리는 'ⓘ광고 마크'가 보인다.

매자 입장에서는 고객들에게 노출이 되어야 판매가 이루어지기 때문에 꼭 해야 하는 필수 광고 중 하나였다. 하지만 제품 판매를 위해서 상위에 노출시키는 광고 경쟁이 치열해지면서 광고에 대한 효율성이 떨어진다는 평가를 받았다.

예를 들면 예전에는 100원이면 광고를 진행할 수 있었는데 지금은 7,000원으로 진행해야 하는 상황이 된 것이다. 키워드별로 광고 경쟁이 달라서 모든 키워드가 7,000원이라는 뜻은 아니니 이 부분은 참고하길 바란다. 어쨌든 이는 현재 네이버 파워링크 광고 경쟁이 얼마나 심한지 알 수 있는 부분이다.

판매자들로부터 광고에 대한 효율성이 떨어진다는 평가를 받자 네이버는 새로운 광고 상품인 네이버쇼핑 광고를 만들었다. 가격비교 영역으로 알려진 네이버쇼핑 영역에 광고 상품이 생긴 것이다.

네이버의 지난해 매출 중 가장 큰 비중을 차지한 쇼핑 검색 광고 등 비즈니스플랫폼의 매출액은 2조 1,532억 원으로 총매출의 46%에 이른다. 네이버쇼핑 광고는 네이버 통합검색(PC/모바일)과 네이버쇼핑 영역에서 상단 및 중간에 2~4개가 노출된다. 광고 개수는 아래 표를 참조하기 바란다.

영역		쇼핑 검색광고 개수	설명
PC	통합 검색	2개	탭별 상단 2개
	쇼핑 검색	4개	페이지별 상단 4개 × 25페이지
모바일	통합 검색	2개	탭별 상단 2개
	쇼핑 검색	8개	페이지별 상단 4개+ 중간 4개 × 13페이지

네이버쇼핑 광고 입찰

네이버쇼핑 광고에 대한 이해를 돕기 위해 파워링크라는 광고와 비교해서 먼저 이야기하고 네이버쇼핑 검색광고 진행 시 유의해야 할 사항에 대해서 살펴보자.

파워링크는 네이버 통합검색 영역에서 가장 상단에 보여지는 광고이고 네이버쇼핑 광고는 네이버쇼핑 영역에 상단에 보여지는 광고다. 파워링크와 네이버쇼핑 광고의 가장 큰 차이점은 광고 입찰 방식과 광고 진행 이후 노출 순위를 결정하는 요소가 다르다는 것이다.

네이버쇼핑 광고는 무조건 가격만 높게 입찰한다고 해서 광고가 상위에 노출되는 것이 아니다. 최고가 입찰과 함께 연관도라는 부분을 평가해서 광고 노출 순위를 결정하게 되는데 연관도에 대한 부분은 2가지로 평가된다.

첫째, 상품이 맞는 카테고리에 매칭이 되었는가?

둘째, 키워드가 제대로 매칭되었는가?

카테고리 매칭

블루베리 분말로 네이버쇼핑 광고를 진행할 때 네이버쇼핑 영역에 블루베리 분말을 검색해보면 '식품>건강식품>건강분말' 카테고리에 등록된 상품이 상위에 노출된 것을 확인할 수 있다. 블루베리 분말을 등록할 수 있는 카테고리는 많지만 그중에서도 블루베리 분말을 광고할 때는 '식품>건강식품>건강분말' 카테고리에 등록해야 연관도에서 높은 점수를 주고 있는 것이다.

카테고리와 키워드 매칭

'비비크림'을 판매하는 판매자의 경우 '비비크림' 키워드를 검색하는 잠재 고객에게 광고를 진행하고 싶을 것이다. 또는 비비

카테고리를 설정할 때는 연관도가 높은 것 하나에 집중하는 게 좋다.

크림과 관련하여 '비비크림 추천', '비비크림 브랜드' 등의 키워드를 검색하는 고객들에게도 광고를 하고 싶을 수 있다.

파워링크 광고는 판매자가 내 상품 또는 내 쇼핑몰 관련 검색 키워드를 직접 지정할 수 있다. 하지만 네이버쇼핑 광고는 키워드를 판매자가 지정할 수 없다. 검색엔진이 상품과 관련된 키워드를 자동으로 수집한다.

네이버쇼핑 광고가 처음 생겼을 때는 자동으로 수집되는 키워드가 확인되지 않아 많은 광고주들이 불만을 제기했다. 어떤 키워드를 검색했을 때 내 상품 광고가 나오는지 검색해보고 일일이 확인해봐야 했다. 광고주들의 불만이 커지자 광고에 대한 새로운 정책을 내놨다. 키워드를 네이버에서 자동으로 수집하지만 그 키워드를 확인할 수 있는 방안으로 키워드를 제외할 수 있는 권한을 광고주에게 주기로 한 것이다.

키워드 제외 권한을 광고주에게 준 것은 광고에 변화를 가져왔다. 우선 광고주가 키워드를 제외할 수 있다는 것은 어떤 키워드가 수집되었는지를 확인할 수 있는 방법이기도 했다.

필자가 토트백 광고를 진행한 적이 있다. 수집된 키워드를 확인해보았는데 그중 '시계'라는 키워드가 있었다. 토트백과 관련 있는 키워드는 전부 수집된 것인데 '시계'라는 키워드는 시계를 찾는 사람들에게 보여져야 적합한 것이고 토트백과 관련이 아주 없는 것은 아니나 광고까지 할 만한 키워드는 아니었다. 그래서 '시계'라는 검색어를 키워드에서 제외시켰다.

이렇게 관련이 없는 키워드를 제외시킬수록 연관도 점수는 올라간다. 즉 네이버쇼핑 광고는 카테고리와 키워드의 매칭이 잘 되어야 연관도 점수를 높게 받을 수 있다.

네이버쇼핑 광고는 신청한다고 해서 바로 진행되는 것은 아니다. 광고 검토는 통상적으로 1영업일 이내에 완료된다. 다만 광고가 진행 중에 광고 상품 정보를 수정하고 싶은 경우 스마트스토어에 등록되어 있는 상품등록 정보에서 먼저 수정해야 한다. 수정된 내용이 광고에 반영되기까지 많은 시간이 소요될 수 있다. 또한 광고의 품질이나 법적 이슈에 대해 면밀한 검토가 필요한 경우에도 최대 5영업일이 소요될 수 있다.

| 파워링크와 네이버쇼핑의 차이 |

항목	파워링크	네이버쇼핑
순위결정요소	최고가 입찰	연관도 × 최고가 입찰
구좌 수	10개	1페이지당 2~4개
과금 형식	CPC	CPC
노출 위치	네이버 통합검색 영역 상단	네이버쇼핑 영역 상단
노출 형식	텍스트	상품이미지 + 텍스트
입찰 방식	– 실시간 경쟁 입찰 – 판매자가 키워드 지정	– 실시간 경쟁입찰 – 네이버 검색엔진이 관련 키워드 자동 수집
광고 연결	홈페이지(쇼핑몰) 혹은 홈페이지(쇼핑몰) 내 상품	– 스마트스토어 내에 등록된 상품 – 네이버쇼핑 내 입점되어 있는 쇼핑몰의 특정 상품

네이버쇼핑 검색광고 진행 시 유의사항

상품명은 곧 광고 문구다

다음 예시를 보면 상품이미지 옆에 광고라는 글자가 보인다. 해당 제품을 다른 타 제품보다 더 우선 노출하기 위해 비용을 지불하고 순위를 샀다고 보면 된다. 상품이미지, 상품명, 그리고 가격 이 내용들이 고객에게 노출이 된다.

이왕 비용을 주고 상위노출하는 거면 목록이미지, 상품명을 최대한 활용하는 것이 좋지 않을까? 앞서 3장의 '고객 유입을 늘리는 키워드 공략법'에서 많은 키워드를 쓰는 것은 검색엔진이 정확하고 빠르게 판단하는 데 방해가 된다고 언급했었다.

4장에서는 광고 없이 순수하게 검색엔진에 점수를 잘 평가를

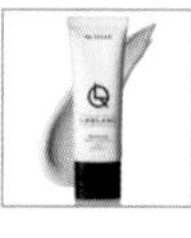

받는 방법에 대한 것을 설명했다면, 이번에는 비용을 지불하고 상위 노출을 시키는 것이기 때문에 상품명 자체를 검색엔진에 점수를 받는 관점으로 생각하면 안 된다. 어차피 돈을 내고 상위노출하는 것이고 상품명이 고객에게 노출되기 때문에 상품명 자체를 광고 문구라고 생각해야 한다. 최대한 고객에게 어필할 문구를 많이 써야 한다.

비비 파우더를 사기 위해서 검색을 해보았다. 다음 페이지의 두 제품이 비교가 되었다. 하나는 당일출고라는 문구가 있고 하나는 9종 파우치를 주는 내용을 강조하고 있었다. 이렇게 비슷하거나 같은 제품에서는 고객은 혜택을 더 받을 수 있는 쪽으로 클릭을 한다. 물론 가격도 클릭을 결정하는 요소 중에 하나이지만 이번 장에서는 상품명만을 이야기하고자 한다.

빨리 제품을 받는 것이 중요한 고객은 '당일출고'라는 문구가 그 고객에게는 혜택으로 느껴질 것이고 제품을 더 받는 것에 매력을 느끼는 고객은 '9종 파우치'라는 문구가 눈에 들어올 것이다. 네이버쇼핑 검색광고를 진행 시 상품명은 곧 광고문구라는 사실을 잊지 말고 최대한 제품에 대해서 어필하도록 하자.

광고 상품명 등록 기준

광고 상품명 등록 기준을 살펴보면 다음과 같다.

- 글자수는 네이버쇼핑 EP(Engine Page) 가이드에 따라, 띄어쓰기를 포함하여 최소 1자에서 최대 100자까지 기재할 수 있으며, 50자 내외의 기재를 권고한다.
- 수식어를 부가할 수 있으며, 수식어는 광고대상 상품의 명칭과 띄어쓰기 해야 한다. 예를 들어 '쫀쫀밀착 비비크림'과 같이 표기한다.
- 상품명에 포함된 수식어가 광고대상 상품 자체의 속성 등과 무관한 내용, 쇼핑몰 관련 내용, 연예인 협찬 여부, 가격, 기타 판매조건 등인 경우에는 광고가 제한될 수 있다.
- 영어/한글로 기재해야 하며, 기타 다른 언어 등이 확인되는 경우에는 광고가 제한될 수 있다.
- 특수문자, 문장부호 등은 필요한 경우 기재할 수 있으나, 불필요하거나 또는 과도하게 중복하여 기재한 경우에는 광고가 제한될 수 있다.

- 동일하거나 유사한 문구를 반복하여 기재할 수 없다. 쇼핑 검색광고에 별도의 상품명을 등록할 수 있으며, 띄어쓰기를 포함하여 최대 15자까지 등록할 수 있다.
- 광고가 게재되는 키워드(또는 카테고리), 광고 대상 상품과 충분한 관련이 있어야 한다.
- 최상급 문구 등 소위 확인이 필요한 표현은 관련 내용이 해당 사이트에서 확인되거나 객관적으로 확인할 수 있는 공신력 있는 서류를 제출할 경우 기재할 수 있다.

광고용 상품이미지는 너무 광고 같아서는 안 된다

네이버 입장에서는 '네이버쇼핑'이라는 광고 상품을 만들었지만, 네이버쇼핑 영역 자체가 순수하게 가격비교 또는 인기 있는 제품의 순위를 볼 수 있는 곳으로 알고 있는 사람들이 많다. 이 영역에 광고를 만드는 것에 대해서 네이버도 고민이 많았을 것이다.

순수하게 정보를 얻는 영역에 광고가 생긴다는 것 자체에 사람들은 거부감을 갖게 마련이다. 그래서 광고이긴 하지만 너무 광고 같아 보이는 것을 선호하지 않기 때문에 광고 상품이미지에 대한 기준을 정해놓았다. 그 기준은 다음과 같다.

광고 상품이미지 등록 기준

- 광고 대상 상품의 단독 이미지 또는 모델이 착용하여 촬영

한 이미지 등을 사용할 수 있다. 단, 광고대상 상품이 패션 의류(아동의류 제외)에 해당하는 경우 모델이 직접 착용하여 촬영한 이미지를 사용해야 한다.

- 광고대상 상품이 이미지 내에서 주된 요소로 명확하게 확인되어야 한다. 이미지 내 상품의 비중이 너무 작거나 이를 식별하기 어려운 경우에는 사용할 수 없다.
- 광고 대상 상품을 판매하는 업체 또는 쇼핑몰의 CI/로고/마크, 기타 텍스트 등을 추가한 이미지는 원칙적으로 사용할 수 없다. 단, 이미지에 업체 또는 쇼핑몰의 CI/로고/마크를 추가한 경우에 한하여, 광고대상 상품 인지에 불편함이 없고, 이미지의 전체적인 품질을 저하하지 않는 수준이라면 사용할 수 있다.
- 최대 2분할된 이미지를 등록할 수 있으나, 분할된 이미지는 서로 달라야 하며 분할된 비율이 동일해야 한다.
- 기타 합성 또는 2분할 초과, 효과 등을 넣거나 왜곡된 이미지는 사용할 수 없다.
- 원칙적으로 다른 업체 및 쇼핑몰, 다른 상품과 동일한 이미지는 사용할 수 없다.
- 해상도가 낮거나 그 일부 또는 전부가 깨져 보임으로써 이미지 내 실체가 선명하게 전달되지 못하거나 알아보기 어려운 경우엔 사용할 수 없다.
- 보정된 이미지를 사용할 수 있으나, 이미지 내 실체의 실제

색상 또는 형태를 오인하게 할 정도로 보정된 경우에는 사용할 수 없다.

- 관련 법령 또는 선량한 풍속, 기타 사회질서에 반하거나 반하는 행위를 지칭할 수 있는 이미지는 사용할 수 없다.
- 이미지에 대하여 저작권 등의 권리 침해 주장이 들어올 경우엔 네이버 검색광고 광고운영정책 중 광고문안과 권리보호에 따라 처리한다.
- 쇼핑검색 광고에 별도의 상품이미지를 등록할 수 있으며, 최소 300×300px 이상, 최대 2000×2000px 이하 사이즈의 이미지를 등록할 수 있다.

광고 불가 카테고리

쇼핑검색 광고는 네이버쇼핑에 등록되어 있는 상품이더라도, 일부 상품군은 광고를 할 수 없다. 다음은 광고가 불가한 카테고리와 상품군이다.

단, 네이버쇼핑에서 등록 카테고리를 지원하는 '유아동용 도서상품'과 '전통주'의 경우 쇼핑검색광고를 할 수 있다. 쇼핑검색광고의 '취급 대상 상품'은 점차 확대될 예정이다(네이버 광고 정책에 의해 제한된 일부 상품군 제외).

| 쇼핑 검색광고 취급 불가 상품 |

상품군	상세
디지털/가전 (일부 카테고리 가능)	휴대폰, 카메라/캠코더 용품, 영상가전, 생활가전, 주방가전, 게임/타이틀, 음향가전, 이미용 가전, 계절가전, 노트북, 태블릿PC, PC, 모니터, 저장장치, PC주변기기, 자동차기기 등
면세	면세 대상상품 (의류, 화장품, 주얼리, 시계/기프트, 패션/잡화, 전자제품 등)
해외사업자 쇼핑몰 상품	해외 사업자가 소유·관리하는 쇼핑몰의 상품(의류, 화장품, 주얼리, 시계/기프트, 패션/잡화, 전자제품 등)
여행/문화	공연/티켓, 모바일 쿠폰/상품권, 지류/카드상품권, 여행/항공권, 레저이용권, e컨텐츠, 꽃/케이크배달 등
중고/리퍼	중고 또는 리퍼 상품 (의류, 화장품, 주얼리, 시계/기프트, 패션/잡화, 전자제품 등)
임대/렌털	정수기, 공기청정기, 자동차리스 등 임대/렌털 상품
일반도서/해외도서	소설, 시/에세이, 경제/경영, 자기계발, 인문, 역사/문화 등 도서상품
미성년자가 구매할 수 없는 상품	성인용품, 주류, 전자담배기기장치류 등

광고의 목적은 내 상품에 대한 경쟁력 파악이다

광고의 성과를 평가하는 요소에는 노출 수, 클릭 수, 클릭률 등이 있다. 그중 클릭 수가 중요하다. 네이버쇼핑 광고를 통해 상단에 노출되었을 때 고객들은 비슷한 상품들을 비교하고 그중에 맘에 드는 상품을 클릭한다.

광고를 통한 효과는 내 상품이 고객들에게 다른 상품들보다 더 위에 노출된다는 점이다. 광고를 진행하고 난 이후에 판매자들이 가장 간과하는 부분은 광고 이후에 매출이 올라갈 것이라는 기대감이다. 다른 판매자보다 고객들에게 더 잘 보이는 곳에 노출되니 당연히 제품을 보러 들어오는 고객들도 늘어날 것이다. 하지만 제품을 보러 들어오는 고객들이 전부 내 제품을 구매하는 것은 아니다. 즉 매출로 이어지는 것은 아니다.

클릭 수에 영향을 끼치는 것은 노출 순위, 상품이미지, 가격, 상품명 등이 영향을 끼친다. 노출 수 대비 클릭수가 적다면 제품 자체의 경쟁력에서 상품이미지, 가격, 상품명을 빨리 개선을 해야 한다. 우선은 상품명을 변경해보고 제품의 가격에 대한 검토를 해본다. 그리고 마지막은 제품 자체에 대한 경쟁력을 고민해봐야 한다. 광고 자체가 상품에 대한 정보가 보여지는 광고이기 때문에 내 상품의 경쟁력에 더 달려 있다.

광고를 통해 내 상품에 대한 경쟁력을 판단하는 것은 매우 중요하다. 블록을 판매하는 한 판매자의 사례다. 이 판매자는 어린이를 타깃으로 광고를 하고 싶었으나 고객이 어디서 반응할지 모르니 초등학생까지 확대해서 '어린이 장난감'과 '초등학생 장난감' 2개로 나누어서 광고를 진행했다. 그 결과 어린이 장난감보다 초등학생 장난감이 더 반응이 좋다는 것을 알 수 있었다. 다시 말해 어린이보다는 초등학생을 타깃으로 했을 때 더 경쟁력이 있다는 판단을 할 수 있었다.

| 어린이 장난감과 초등학생 장난감 광고 분석 |

상품명	상품 가격	노출수	클릭수	클릭률 (%)	평균 클릭비용	총비용 (VAT포함)
소재 6개 결과		8,590	140	1.63	190	26,554
초등학생 블록 브릭스타 주니어	73,000	117	12	10.26	55	660
어린이 장난감	73,000	4,567	34	0.75	327	11,121
초등학생 장난감	73,000	853	39	4.58	74	2,893
초등학생 선물 브릭 주니어	73,000	2,634	50	1.9	231	11,550

이것이 궁금해요

Q. 네이버쇼핑 영역이 일반 사람들에게는 가격을 비교하는 영역으로 알려져 있는데, 최저가가 아니면 광고 효율이 떨어지지 않을까요?

A. 네이버쇼핑 영역 자체가 일반 고객들에게는 가격 비교 영역으로 알려져 있어서 최저가인 상품으로 광고를 할수록 클릭률이 높아지는 데에 도움이 되는 것은 맞습니다. 하지만 절대적인 요소는 아닙니다.

사람들이 가격을 보고 클릭을 많이 하긴 하지만 가격만 보는 것은 아닙니다. 제품의 이미지와 가격, 상품명 이 3가지가 다 괜찮다면 클릭률은 높아집니다. 최저가가 아니면 광고를 진행하면 안 된다는 생각은 섣부른 판단입니다.

예를 들어 고객이 원피스를 구매하고 싶다는 생각으로 네이버쇼핑 영역에서 '원피스' 이렇게 검색해서 찾는 경우 우선 취향에 맞는 원피스를 이미지를 통해서 본 다음 가격을 비교해서 결정합니다.

하지만 '이니스프리 화산송이 모공팩'처럼 제품에 대한 정보를 명확하게 알고 목적성을 가지고 검색하는 경우에는 최저가 상품을 선택할 확률이 더 높습니다.

고객이 쇼핑에 대한 목적성을 가지고 명확하게 검색하는 경우에는 제품 인지도가 높거나 어딘가에서 제품에 대한 정보를 알고 검색하는 경우가 많습니다. 이런 경우 최저가로 광고를 진행했을 때 효과를 거둘 가능성이 높습니다. 내 제품의 인지도가 아직 없는 경우에는 제품력이 광고 효과에 결정적인 영향을 끼칩니다.

비즈 어드바이저로 마케팅 성과 분석하기

네이버는 2018년도 2월 '비즈 어드바이저'라는 기능을 스마트스토어 쇼핑 플랫폼에 적용했다. 비즈 어드바이저는 판매자가 고객의 구매패턴을 들여다보고 행동을 예측할 수 있도록 돕는 빅데이터 기반 통계 도구다.

예전에는 통계 영역과 비즈 어드바이저가 나누어져 있었는데 최근에는 비즈 어드바이저가 통계로 통합되었다. 전자상거래 요약, 판매분석, 마케팅 분석, 상품별 쇼핑 행동, 시장벤치마크, 고객현황, 재구매 통계로 보다 세부적으로 통계 분석을 해서 마케팅을 더 체계적으로 할 수 있게 많은 데이터를 제공한다.

상품을 구매한 고객의 성별, 나이대와 같은 기본적인 정보를 제공함은 물론이고 더 나아가 고객의 결혼 유무, 가구 인원, 직업, 자녀의 나이 등 고객의 라이프와 관련된 정보까지 제공한다.

이렇게 자세한 정보를 공개한 이유는 고객의 성별 나이가 같더라도 취업, 결혼, 출산, 육아 등 고객이 처한 상황에 따라 쇼핑에 대한 니즈가 달라지기 때문에 좀 더 정교하게 고객에 대한 데이터를 제공하고 이를 판매자가 활용해서 판매 활동에 더 도움이 되게 하려는 취지다.

유입 채널 통계 분석하기

비슷한 규모인 다른 사업자들의 누적 결제 금액 비교 및 성장에 필요한 주요 마케팅 포인트들을 제안하는 벤치마크 기능도 최근 추가되었다. 앞으로 더 많은 데이터를 제공할 예정이며 통계 영역의 데이터를 수시로 확인해서 마케팅 방향에 적용해나가야

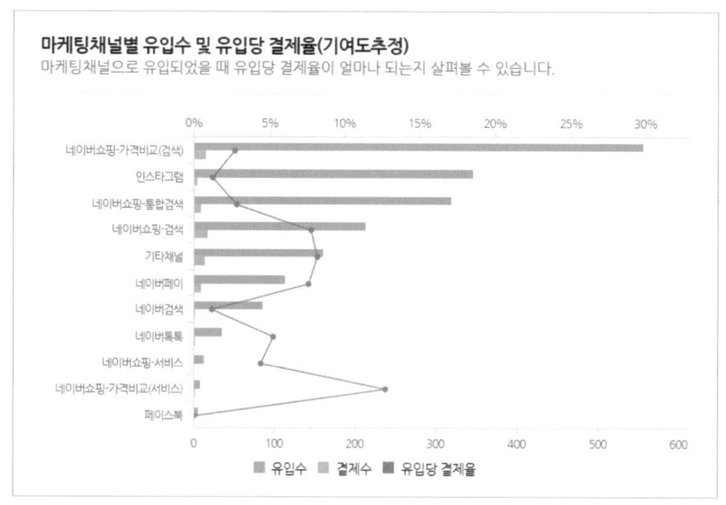

한다. 통계 영역에서 주요 핵심 데이터에 관련해서 살펴보도록 하자.

앞의 그래프를 살펴보면 네이버쇼핑 가격비교를 통해서 들어오는 고객 유입이 가장 많은 것으로 확인된다. 인스타그램에서의 유입도 두 번째로 높은 것으로 나타나는데, 이는 인스타그램을 활용해서 스마트스토어로 유입되는 마케팅을 진행했기 때문이다.

판매자가 스스로 인스타그램에 게시글을 올려서 스마트스토어로 유도하는 마케팅을 진행했거나 인스타그램에 광고를 진행했다거나 어쨌든 인스타그램을 활용한 마케팅을 진행했다는 뜻이다. 인스타그램을 통해서 마케팅을 진행했는데 실제 인스타그램을 통해서 유입이 많아졌다면 인스타그램을 활용한 마케팅을 더 늘려야 한다.

비즈 어드바이저를 통해 고객이 스토어를 방문하기 전에 어떤 키워드를 검색했는지, 스토어를 방문한 고객 중 몇 명이 실제 구매로 이어졌고 구매하지 않은 고객들은 어떤 행동을 했는지 등

차원 간단 상세 지표 요약 전체 셀강조 20

키워드	유입		결제(마지막클릭 기준)				결제(+14일 기여도추정)			
	고객수	유입수	결제수	유입당 결제율	결제금액	유입당 결제금액	결제수	유입당 결제율	결제금액	유입당 결제금액
전체	144	169	1	0.59%	68,310	404	1.0	0.59%	68,310	404
[illegible]	[illegible]	[illegible]	[illegible]	[illegible]	[illegible]	[illegible]	[illegible]	[illegible]	[illegible]	[illegible]
페이스북마케팅	1	1	0	0.00%	0	0	0	0.00%	0	0
스토아팜	12	12	0	0.00%	0	0	0	0.00%	0	0
스토어팜판매자센터	5	5	0	0.00%	0	0	0	0.00%	0	0
유튜브	3	4	0	0.00%	0	0	0	0.00%	0	0

비즈 어드바이저를 통해 유입 채널 통계를 알 수 있다.

의 입체적인 데이터들도 확인할 수 있다. 키워드로 검색하고 들어왔으나 구매로 전환되지 않았다면 콘텐츠의 내용에 문제가 없는지 점검해야 한다.

환불률 확인하기

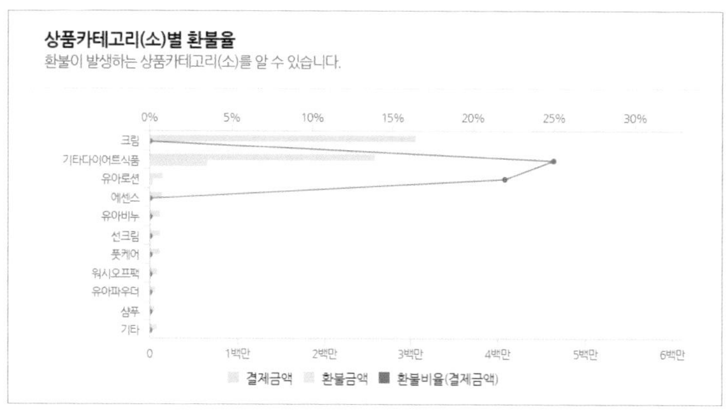

판매하고 있는 상품 카테고리별로 환불률과 결제 금액 대비 환불금액도 그래프로 확인할 수 있다. 위의 그래프를 보면 '기타다이어트식품' 카테고리에서 결제 금액 대비 환불금액 비율이 가장 높은 것으로 나타났다. 환불이 많이 일어난다는 것은 제품에 만족도가 떨어진다는 것을 의미한다. 이 부분 관련해서는 결제 금액 대비 환불비율이 떨어지게 계속 노력해야 한다. 왜 환불이 많이 일어나는지에 대한 원인을 분석해서 개선해나가야 한다.

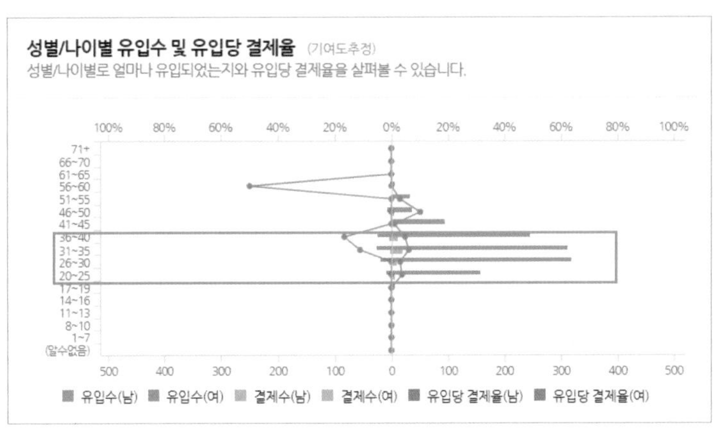

성별 / 나이별 유입수 및 유입당 결제율 확인하기

26~40세까지 유입수가 가장 많으며 41~45세는 유입수 대비 유입당 결제율이 가장 높은 것으로 확인되었다. 고객 연령층이 높을수록 구매 전환율이 높다는 것으로 해석되며, 구매력이 있는 41~45세를 늘리기 위한 마케팅 계획을 더 늘릴 수 있다. 예를 들어 구매 고객 중 학생 비율이 높다면 상품들의 단가를 좀 더 낮추거나 초등학생 자녀를 둔 부모의 비율이 높다면 초등학생 대상 상품 라인업을 강화하는 방향으로 상품 전략을 검토해볼 수도 있다.

요일별 결제금액 확인하기

최근 3주차에 어느 요일이 결제가 이루어졌는지에 대한 부분도 도표로 쉽게 이해할 수 있다. 다음의 그래프를 보면 31주차에는 토요일, 일요일이 결제가 이루어졌고 32주차에는 월요일부터

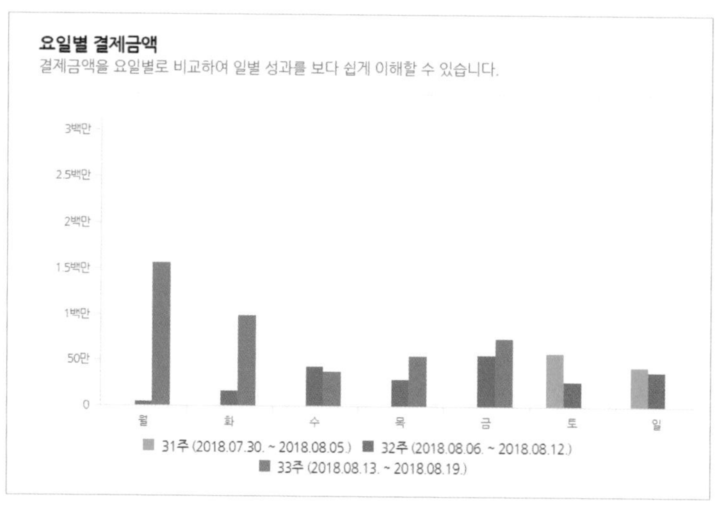

일요일까지 결제가 이루어졌으며 33주차에는 월~금요일까지 결제가 이루어진 것으로 확인된다.

어느 판매자는 수요일, 목요일에 결제 금액이 다른 요일에 비해서 높은 것으로 확인된 판매자도 있었다. 특정 요일에 결제 금

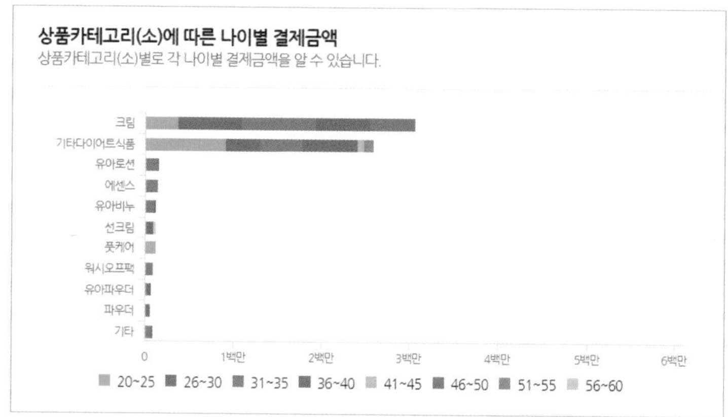

액이 높은 부분이 정기적으로 나타난다면 그 요일에 매출을 더 일으킬 수 있는 마케팅을 진행할 수도 있고 결제 금액이 높지 않은 날 매출액을 높이기 위한 마케팅 계획을 짜볼 수 있다.

상품카테고리에 따른 나이별 결제금액 확인하기

앞의 그래프를 보면 크림은 31~35세가 가장 많이 결제하는 것으로 확인되며 기타다이어트식품은 20~25세가 가장 많이 결제하는 것으로 데이터에서 확인할 수 있다. 카테고리별로 나이별 결제 금액에 대한 데이터는 카테고리별 연령대 마케팅을 어떻게 해야 하는지 계획을 세울 때 활용하면 좋은 데이터다.

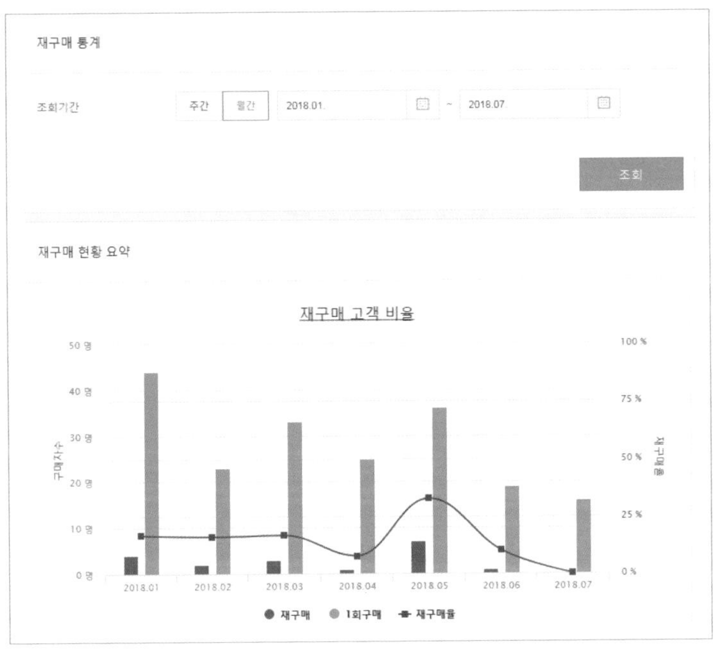

재구매 고객 비율 확인하기

1회 구매 고객과 재구매자 수에 대한 데이터를 비교한 그래프도 확인할 수 있다. 제품의 수요보다 공급이 더 많아지고 있어 경쟁이 더 치열해지고 있다. 경쟁이 더 치열해지니 신규 고객 유치에 대한 마케팅 비용은 점점 늘어나고 있다.

따라서 한번 온 고객들을 다시 방문하게 하고 재구매율이 높이기 위한 마케팅에 더 집중해야 한다. 재구매와 관련되는 데이터는 수시로 확인해서 재구매율을 높일 수 있게 고객관리에 더 집중해야 하고 한번 구매한 고객에게 재구매를 할 수 있게 신상품을 더 업데이트한다든지 다른 상품에 대한 프로모션을 진행하는 등 다양한 마케팅 방안이 필요하다.

'오늘출발' 배송 정책 활용하기

쿠팡이 로켓배송정책을 통해 시장에서 급성장하지 않은 온라인 쇼핑몰에서 이를 벤치마킹을 하고 있다. 네이버 스마트스토어도 다르지 않다. 2018년도 3월 29일 스마트스토어는 '오늘출발'(당일발송)이라는 정책을 내놨다.

오늘출발은 다음날 배송 보장이 아니다

판매자가 스스로 오늘출발을 설정해서 예를 들어 오전 11시 이전에 주문한 건에 한해서 그날 당일 출발하는 것으로 설정해 놓고 그 약속을 지키기만 한다면 가산점을 받을 수 있다. 다만 그 부분을 지키지 않았을 경우 패널티를 받는다는 점도 생각해야 한다.

스마트스토어 관리 화면에서 '오늘출발'을 체크하면 '기준시간 설정'이라는 항목이 나온다. 예를 들어 기준시간을 평일 13:00까지 결제 완료로 체크하고 저장버튼을 누르면 아래와 같은 화면이 나온다.

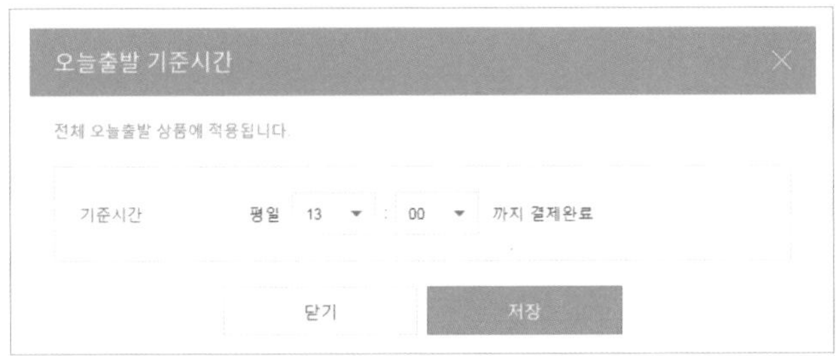

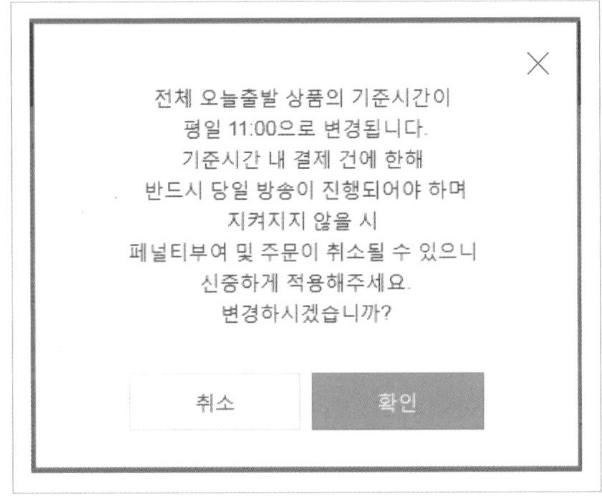

네이버에서 시행하는 '오늘출발'은 '다음날 배송 보장'이 아니라 '오늘 배송 만료' 개념이다.

스마트스토어가 내놓은 정책이긴 하나 실제로 지켜야 하는 것은 지극히 판매자의 몫이다. 여기에서 판매자들이 오해하고 있는 부분은 '오늘출발'은 당일 배송을 고객들에게 약속하는 것이지 '내일도착'을 약속하는 것은 아니라는 것이다.

배송이 대부분 하루 정도 걸리기 때문에 하루 뒤에 바로 제품이 도착해야 하는 것까지 보장이 되어야 하는 건지 걱정되어 오늘출발 기능을 활용하지 않는 판매자도 많다. 오늘출발은 설정시간만 지키면 된다.

오늘출발 기능을 쿠팡의 로켓배송정책과 비교해서 살펴보자.

로켓배송과 오늘출발의 차이

쿠팡 하면 떠오르는 단어 중에 하나가 '쿠팡맨'이다. 쿠팡맨은 로켓배송 담장자를 일컫는 단어인데, 쿠팡을 대변하는 브랜드가 되었다. 이렇듯 쿠팡의 로켓배송은 쿠팡 자체 내에서 구축한 물류시스템이다.

쿠팡에 입점한 판매자는 쿠팡의 로켓배송시스템을 이용할 수 있었다. 쿠팡은 수년간 로켓배송 등 자체 물류 시스템 구축에 투자를 지속하면서 지난해 6,300억 원가량 손실을 기록했지만 꾸준히 외형 성장을 이어가고 있다. 그동안 공을 들여온 자체 배송시스템이 자리를 잡으면서 그간의 투자가 빛을 발하고 있다는 평가다.

하지만 네이버 스마트스토어에서 내놓은 오늘출발 정책은 실질적으로 이 부분에 대한 책임이 판매자에게 있다는 차이가 있다. 판매자가 오늘출발을 스스로 선택하게 되어 있으며 책임 또한 스스로 지게 되어 있다. 소비자 입장에서는 제품을 빨리 받아 볼 수 있다는 점에서 취지는 같으나 시스템을 만들고 책임을 지는 부분에서 차이가 있다.

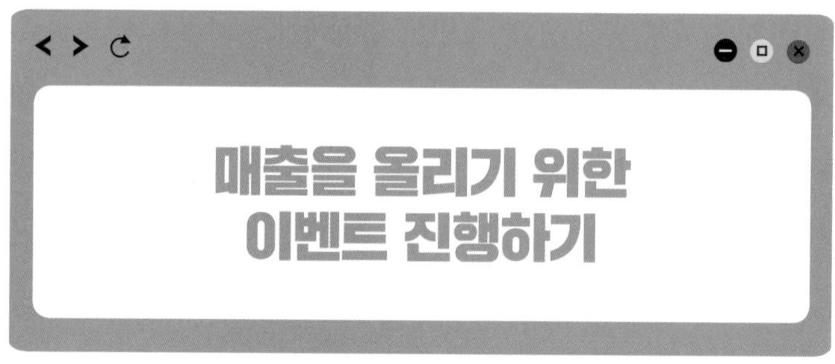

매출을 올리기 위한 이벤트 진행하기

상품을 등록한다고 해서 매출이 바로 일어나는 것은 아니다. 고객들이 많이 검색하는 키워드를 입력해서 상품을 등록한다고 해서 그 키워드로 검색했을 때 바로 내 상품이 다른 판매자의 상품보다 위에 노출되지는 않는다. 아무런 실적이 없기 때문이다.

고객으로 하여금 나와 비슷한 상품을 판매하는 수많은 판매자의 상품 중에서 내 상품을 선택하게 만들기 위한 방법으로, 혜택을 줄 수 있는 이벤트를 통해 매출을 올리는 방법을 설명을 하고자 한다.

스마트스토어 판매자라면 네이버쇼핑 '기획전'과 '럭키투데이' 코너를 활용할 수 있다. 이벤트를 기획하는 방법에 대해 설명하기 전에 이벤트를 진행한 사례를 통해서 이벤트에 대한 감을 먼

스마트스토어에서 진행할 수 있는 이벤트는 '네이버 기획전'(위)과 '럭키투데이'(아래)가 있다.

저 잡아보자.

'기획전'은 특정 주제를 가지고 그 주제에 해당되는 제품의 판매 촉진을 위해서 진행하는 것이고, '럭키투데이'는 쿠팡, 위메프 같은 소셜커머스 코너다. 기획전이나 럭키투데이는 네이버 담당자에게 신청해서 선정이 되어야 각 코너에 노출된다. 예를 들어 여름 신상품 매출을 올리기 위해 여름 신상품을 모아서 30% 할인전을 진행하고자 한다면 '여름 신상품 30% 할인전'으로 네이버 기획전을 진행할 수 있다. 럭키투데이는 짧은 기간 동안 특정 제품을 파격적으로 할인해서 판매하는 코너로, 기획전 코너에 비해 선정되기가 어렵다.

| 기획전과 럭키투데이 비교 |

항목	기획전	럭키투데이
신청자격	제품 50가지 이상	특정 제품을 타 판매자보다 할인율 높게 판매 가능 소셜커머스와 비슷
진행 권장 기간	3~14일	72시간
진행조건	즉시할인 톡톡친구 쿠폰 스토어찜 쿠폰 포인트 적립	할인
선정조건	명확한 주제가 있어야 함.	할인 폭이 크거나 아이템이 독특함.
신청 가능 카테고리	패션 뷰티 리빙 유아동 멘즈	여성의류 남싱패션 잡화/뷰티 리빙 가구/홈테코 식품 유아동 레저/가전

기획전

기획전은 특정 주제와 맞는 상품들을 단순 할인해주거나 적립금을 지급해주는 것을 기본적으로 설정할 수 있다. 최근 톡톡친구, 스토어찜 수를 늘리기 위한 이벤트를 진행하는 사례가 많아지면서 네이버 기획전 기본 매뉴얼에 톡톡친구, 스토어찜을 하는 고객들에게 할인 쿠폰을 발급해주는 기획전을 세팅할 수 있게

기획전 관리 페이지에 가면 스토어찜이나 톡톡 관련 이벤트가 기본으로 세팅되어 있다.

되었다.

위의 캡처 화면은 네이버 기획전에서 제공하는 기획전 타입 중 스토어찜 쿠폰, 톡톡친구 쿠폰, 포인트 적립에 관련된 예시다. 스토어찜 쿠폰을 발행하는 기획전은 스마트스토어를 즐겨찾기 하는 사람 수를 늘려 판매자의 활성화 지수를 올리는 것에도 도움이 되고 재방문율을 높이고 매출을 올리기에 좋은 방법이다.

네이버가 주력으로 밀고 있는 서비스 중에 하나인 네이버톡톡은 스마트스토어와 활용했을 때 시너지가 많이 나는 서비스이다. 실제 스마트스토어 판매자들 중에 네이버톡톡을 활용하는 판매자들이 점점 늘어나고 있다. 기획전을 통해서도 톡톡친구 수를 늘려 단골 고객을 확보할 수 있다. 포인트 적립을 해주는 기획전의 경우 적립금을 주어 고객들에게는 다음번에 제품을 구매할 때 적립금을 활용해서 더 싸게 구매할 수 있게 하는 혜택을 주고, 고객이 다음번에 구매할 수 있게 유도할 수 있는 방법이기도 하다.

스토어찜을 하는 고객을 늘리기 위한 목적으로 설정하는 것 외에 즉시할인을 하는 방법도 있다. 또 포인트 적립의 경우 특정한 주제를 가지고 기획전을 올리는 것이 좋다. 이벤트 내용을 채우는 항목은 크게 수량, 명분, 기간, 고객, 혜택 등으로 생각해볼 수 있다.

11번가, G마켓 등등 온라인 마켓에 들어가보면 메인 화면에 이벤트를 진행하는 내용을 확인할 수 있다. 특히 온라인 마켓들은 항상 발빠르게 이벤트를 진행하곤 한다. 이벤트에 대한 부분을 어떻게 해야 할지 모르겠다면 항상 앞서가고 있는 온라인 마켓의 이벤트를 참고해보길 바란다.

럭키투데이

럭키투데이는 판매자가 상품을 직접 선정하고 등록 프로모션을 할 수 있는 오픈 플랫폼 서비스로, 럭키투데이는 매력적인 상품을 고객에게 특가로 제공한다. 이러한 취지에서는 소셜커머스와 같다. 럭키투데이는 네이버쇼핑 메인에 노출되기 때문에 고객들의 관심을 받기에 좋은 기회이다. 상품 가격을 할인하는 딜 형식으로 진행되며 상품 선정부터 등록까지 판매 활동 전반을 판매자가 직접 참여할 수 있다.

예전에는 네이버쇼핑 영역에 입점된 모든 판매자에게 기회가 있었으나 현재는 스마트스토어 상품에 한해서만 신청이 가능하

항목	내용
명분	신학기
고객	학생, 학부모
기간	2월 한 달간
혜택	할인

항목	내용
명분	미세먼지
혜택	최대 49%까지 할인

항목	내용
명분	개강
고객	대학생

항목	내용
명분	화이트데이
고객	20~30대 남성

해당 시기에 가장 관심도 높은 키워드를 바탕으로 기획전을 기획하면 주목도가 높아진다.

다. 이 부분이 스마트스토어 서비스만이 가지고 있는 장점이다. 럭키투데이 상품을 제안하고 난 이후에는 오픈 일정에 맞춰 순차적으로 담당자에 의한 검수가 진행된다. 검수 완료된 상품은 상품 관리에서 즉시할인가를 제안가와 동일한 가격으로 세팅해주어야 한다.

동일 기간 내 1개만 진행할 수 있으며 최소 72시간 이상 진행해야 한다. 단, 타임특가 및 럭키투데이 시즌 프로모션 참여 셀러에 한해서만 한시적으로 예외가 적용된다. 럭키투데이는 네이버 기획전에 비해 구좌수도 매우 적어서 선정되기 어려울 뿐만 아니라 담당 카테고리 CM들 또한 카테고리를 대표하는 제품을 선정해서 내놓기 때문에 럭키투데이에 선정되서 올라가는 데에 의미를 두어서는 안 된다.

럭키투데이 신청할 수 있는 상품 필수 조건

- 동일 상품(혹은 해당 카테고리 유사 상품) 중 최저가
- 할인율이 0%인 상품은 진행이 불가
- 전체 연령 구매 가능 상품만 진행 가능
- 최소 72시간 진행 가능한 상품
- N개 옵션 상품으로 진행 시, 옵션 상품 수의 70% 이상은 균일가여야 함(단, 상세 페이지 내 옵션별 판매가를 표시한 셀러에 한해 30~70%까지 균일가 진행 가능).
- 브랜드 및 해외배송, 상품의 경우 상세페이지 내 정품 관련 서류 첨부 필수 또한 정품이 아닐 시 모든 책임은 판매자에게 있다는 내용을 포함해야 진행 가능
- 캐릭터 상품의 경우 본사 직영몰, 본사 확인된 상품만 가능

(홀로그램, 바코드 등)

- 기존 CS처리 및 배송에 이슈가 있었던 상품은 진행이 불가능
- PC와 모바일 제안가 동일
- 재고 수량이 충분한 상품
- 모바일 상세보기가 가능한 상품
- 대표이미지와 상세페이지 상품이 다를 경우 진행 불가
- 일부 판매 시즌에 적합하지 않은 역시즌 상품은 진행 불가
- 주류, 전자담배, 성인용품, 술 등 온라인으로 판매 부적격한 상품은 진행 불가
- 중고, 스크래치, 반품, B급, 리퍼, 진열 등 신품이 아닌 상품은 진행 불가

럭키투데이 신청 시 쓰지 말아야 할 상품명

럭키투데이에 상품을 신청할 때 상품명 등록 가이드가 정해져 있는데 기준 중에 이렇게 하면 럭키투데이 신청이 어려운 상품명 위반 가이드가 있다.

- 미 확인 홍보성 문구 노출된 경우(예 : 주문폭주/판매1위/재구매율 1위 등)
- 연예인 명을 상품명에 무단 사용한 경우 반려 처리
- 상품명에 쇼핑몰 명이 노출된 경우
- 전자 제품 이외에는 품번 기재 불가
- 특수 문자 사용된 경우(단, [ ], ( ), /, &, +, %, ~는 사용 가능)

'주문폭주', '연예인 이름'이 들어가는 이런 제품은 반려된다.

- 할인율, 상품가격 및 무료배송은 자동 노출되기에 상품명에 따로 기재 안 해도 됨.
- 단순 단어 나열 및 텍스트 잘린 경우
- 상품에 대한 설명은 최대한 명확하게 기재해주고 추상적인 문구, 예를 들어 '사랑이 깊어 블라우스'나 '봄바람 살랑살랑 불어와 스커트' 등은 지양

럭키투데이 신청 시 상품이미지 등록 조건

- 상품의 이미지는 보기 좋게, 예쁘게, 선명한 사진
- 분할된 이미지는 2컷까지만 허용
- 텍스트 기재 및 도형컷이 포함된 이미지는 반려 처리
- 이미지 외곽라인은 허용되지 않음.
- 이미지 내 제품 이미지가 너무 작거나, 제품이 일부 잘린 경우 진행 불가
- 이미지 내 여백은 허용되지 않음.
- 모델이 없는 상품이미지의 경우 보기 좋은 연출 컷을 사용

- 지저분한 바닥 컷, 옷걸이 컷, 마네킹 컷은 진행이 불가능
- 선정적이거나 음란, 과도한 신체 노출 이미지는 사용 불가
- 이미지 가독성이 낮다고 판단되거나 합성, 흑백, 비율이 왜곡된 이미지는 반려 처리
- 여백이 전체의 50% 이상을 차지하는 이미지는 허용되지 않음(상품이 부각되지 않는 이미지는 반려 처리)
- 로고 노출은 브랜드만 가능 & 우측 상단에만 노출 가능(로고의 크기가 필요 이상으로 클 경우 반려 처리)

쿠폰 발급을 통한 매출 활성화

최근 스마트스토어에서 매뉴얼이 가장 강화된 부분이 바로 고객혜택관리 영역이다. 판매자가 고객에게 혜택을 주어 좀 더 고객을 끌어올 수 있게 적극적으로 마케팅을 하라는 의미에서 만든 매뉴얼이다.

혜택을 주는 대상 또한 구체적으로 진화했다. 첫구매고객, 재구매고객, 그룹고객, 톡톡친구, 스토어찜, 고객지정으로 나누어서 혜택을 줄 수 있다.

대상

- 첫구매고객: 최근 2년간 구매 이력이 없는 고객을 대상으로 혜택 설정
- 재구매고객: 최근 6개월간 구매 이력이 있는 고객을 대상으

로 재구매 혜택 설정

- 그룹고객: 거래기간과 거래 정보 그리고 고객의 관심 여부에 대한 부분을 판매자가 직접 설정해서 고객 그룹군을 만들 수 있다. 거래 기간의 경우 한달, 3개월, 6개월, 1년 중 선택할 수 있으며 주문 금액과 구매빈도도 설정할 수 있다. 예를 들어 5만 원 이상 2회 이상 구매한 고객 이런 식으로 설정할 수 있다. 고객의 관심 여부는 톡톡친구, 스토어찜, 상품찜으로 체크할 수 있다.
- 톡톡친구 : 톡톡친구를 위한 쿠폰 혜택 설정
- 스토어찜 : 스토어찜을 한 고객에게 특별한 쿠폰 혜택 설정
- 고객지정 : 구매 이력이 있거나 스토어찜을 한 특정 고객을 지정하여 쿠폰을 즉시 발급할 수 있으며, 구매 고객이나 스토어찜을 한 고객을 고객 ID또는 고객명으로 찾아서 등록할 수 있다. 구매를 많이 유도하기 위해 첫 구매 고객을 위한 할인 쿠폰 이벤트를 가장 일반적으로 많이 한다. 요즘은 톡톡친구나 스토어찜 수를 늘리기 위해서 톡톡친구나 스토어찜을 했을 때 할인 쿠폰이나 포인트 적립을 해주는 사례들이 늘어나고 있다.

재구매를 한 고객은 우리 스토어에 대한 호감도가 다른 고객에 비해서 높은 편이니 재구매 고객에 대한 관리는 특히나 중요하다. 혜택 상품 또한 내 스토어 상품 전체로 지정할 수도 있고

특정 카테고리로 지정하거나 특정 상품으로 혜택을 줄 수 있다. 혜택을 줄 때는 미리 매출에 대한 계획을 세워서 진행하는 것이 효율적이다. 예를 들어 이번에 나온 신상품에 대한 매출을 올릴 것인지 아니면 매출이 잘 안 나오는 카테고리 전체에 대한 매출을 올리는 것이 목적인지에 따라 혜택을 주는 부분이 달라질 수 있다.

처음에는 스토어찜과 톡톡친구 수를 늘리기 위해 스토어찜, 톡톡친구를 대상으로 혜택을 주는 것을 권한다. 이는 내가 올린 상품의 순위를 올리는 것에도 도움이 되기 때문이기도 하다. 그룹고객 타깃팅의 경우 고객 그룹군이 나누어져 있어야 가능하기 때문에 추후에 고객이 많아지면 진행해보길 권한다.

혜택 종류

혜택을 주는 방법에는 쿠폰을 발행하는 형태도 있으며 또는 고객에게 포인트로 혜택을 지급하는 방법도 있다. 포인트로 지급하는 경우 고객의 네이버 페이로 들어가게 된다.

쿠폰 종류

상품 할인, 상품중복 할인, 배송비 할인 형태로 쿠폰을 발급할 수 있다.

쿠폰 혜택 설정

할인액을 최소 금액과 최대 금액으로 설정할 수 있으며, 최소 얼마부터 쿠폰 혜택을 적용받을 수 있는지 설정 가능하다. 쿠폰 혜택 기간은 길지 않은 것이 좋다. 쿠폰을 써야 고객도 좋고 판매자 입장에서도 매출이 올라가기 때문에 가급적 빠른 시일 내에 쿠폰을 쓸 수 있게 혜택 기간은 짧게 하는 것을 권한다.

우리만의 이벤트 진행하기

모 업체는 수요일을 '맛있는 푸드데이'로 지정하고 특정 상품들의 판매량을 올리기 위해서 매주 수요일마다 새로운 제품을 추천하며 이벤트를 진행한다. 이런 이벤트를 진행하는 경우에는 매주라는 말이 들어가기 때문에 지속적으로 진행해야 고객들에게 각인시킬 수 있다.

이렇게 정기적으로 진행하는 이벤트가 고객들에세 각인되면 고객들은 이벤트 날을 기다린다. 필자가 아는 브랜드 중에 피자 1830이라는 곳이 있는데, 여기는 매월 18일, 30일에 이벤트를 진행한다.

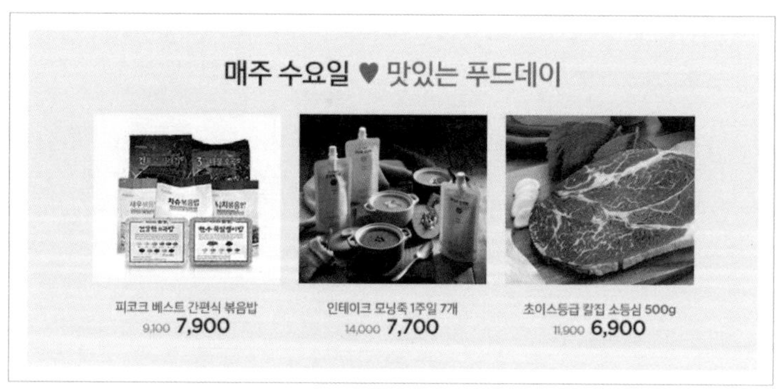

자기 브랜드만의 스페셜데이를 만들어 사용자에게 각인을 시키는 것도 좋은 방법이다.

이것이 궁금해요

Q1. 이벤트를 한번도 진행해본 적이 없는데 이벤트를 쉽게 진행할 수 있는 노하우가 있다면 알려주세요.

A. 가장 좋은 방법은 각 마켓에서 진행하는 이벤트를 그대로 따라해보는 것입니다. 이벤트를 따라해보는 방법 외에 이벤트를 기획해볼 수 있는 방법은 네이버 검색광고 사이트에서 제공되는 월별 키워드를 활용하는 것입니다. 네이버 검색광고 '사이트 〉 광고관리시스템 〉 도구 〉 키워드 도구 〉 월별' 키워드에서 2월 키워드를 확인해보니 밸런타인데이, 설날 등의 키워드가 나오는데, 밸런타인데이가 2월에 있으니 2월에 검색량이 많은 것입니다. 따라서 최소 3주 전부터는 밸런타인데이를 활용해서 이벤트를 진행하는 것이 좋습니다.

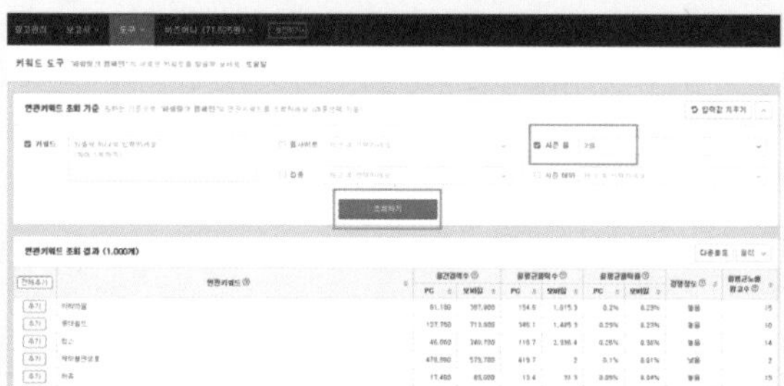

Q2. 이벤트를 진행해본 적은 있는데 별 반응이 없이 매출에 큰 도움이 되지 않았습니다. 이벤트만 진행한다고 해서 효과가 있는 것은 아닌 것 같아요. 이벤트 진행하면서 효과를 보려면 어떤 마케팅을 더 해야 할까요?

A. 이벤트를 진행하는 판매자들 중에서 이벤트 효과를 보지 못하는 판매자들이 많습니다. 이벤트가 판매자만의 잔치로 끝나지 않으려면 고객들에게 이벤트를 진행한다는 사실을 알려야 합니다.

우선 고객들의 눈에 1차로 띄는 상품명에 이벤트를 한다는 내용을 명시합니다. 제품을 구매하러 들어갔을 때 보여지는 상세페이지 내용 안에도 이벤트를 한다는 것을 기재해서 제품을 보러 들어온 고객들에게도 적극적으로 알려야 합니다.

그리고 위에서 언급한 대로 제품의 가지 수가 50가지가 넘는다면 네이버 기획전을 활용하는 것도 좋은 방법입니다. 일단 고객들에게 더 많이 노출시켜야 매출이 올라갈 수 있으니 이벤트를 진행한다는 내용을 상품명에 명시한 상태로 네이버쇼핑 광고를 진행하면 해당 이벤트의 내용에 매력을 느끼고 물건을 구매하는 사람들이 늘어날 수 있습니다.

또다른 이벤트를 통해서 알리는 방법도 있습니다. 대표적인 이벤트로는 입소문 이벤트가 있습니다. 위의 예시처럼 1+1 이벤트를 한다는 것 자체를 SNS로 소문을 내는 이벤트를 진행하는 것도 방법입니다.

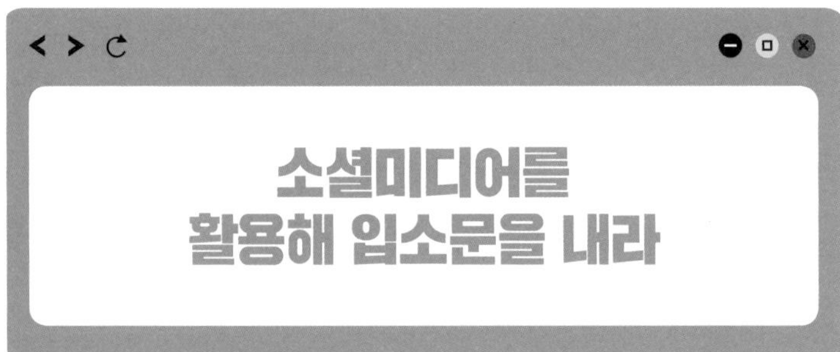

소셜미디어를 활용해 입소문을 내라

서울대학교 경영학과 유병준 교수 연구팀이 20만 개로 추정되는 네이버 스마트스토어의 빅데이터를 기반으로 온라인 커머스 시장의 생태계를 분석한 리포트를 발표했다. 리포트 내용에 따르면 네이버 스마트스토어 판매자는 스마트스토어뿐 아니라 오픈 마켓, 소셜커머스, SNS 등 타 쇼핑 플랫폼도 활발하게 '멀티호밍'을 하는 것으로 나타났다.

멀티호밍이란 하나의 사업자가 여러 개의 플랫폼을 이용하는 것을 뜻한다. 스마트스토어를 활성화하기 위해서는 스마트스토어 자체만으로는 어렵다.

네이버 스마트스토어 판매자의 92%가 스마트스토어 외의 다른 플랫폼을 함께 운영하고 있었으며 전체 판매자 중 36%는 타 판매 채널을 함께 활용하고 있는 것으로 조사됐다. 이 밖에 23%는 자사 쇼핑몰, 21%는 소셜커머스, 12%는 인스타그램 및 블로그 등 SNS를 병행하는 것으로 분석됐다.

특히 거래액이 클수록 다른 플랫폼과의 멀티호밍이 더욱 활발한 것으로 나타났다. 스마트스토어를 이용한 기간이 길수록 멀티호밍의 경우가 높았으며, 스마트스토어를 2년 이상 사용하면 스마트스토어 외에 평균 1개 이상의 플랫폼을 활용하는 것으로 나타났다.

오른쪽 하단에 SNS와 연동되는 버튼이 있다.

판매자들이 스마트스토어에 판매하는 제품을 홍보하기 위한 채널로 소셜미디어를 많이 활용하는 이유는 소비자에게 가까이 다가갈 수 있는 도구이기 때문일 것이다. 그리고 더 강력한 특징이 바로 바이럴이다. 소셜미디어가 생겨나고 난 이후 우리는 그 이전에 경험해보지 못한 속도의 입소문을 경험하고 있다. 바로 소셜미디어가 가진 확산의 기능 때문이다.

스마트스토어를 살펴보면 SNS와 연동하기 기능이 있다. 버튼을 생성해서 직접적인 연동이 가능하게 해놓은 소셜미디어는 블로그, 페이스북, 인스타그램이다. 소셜미디어는 블로그, 페이스북, 인스타그램 외에도 다른 채널들도 있지만 이 책에서는 스마트스토어와 직접적인 연결이 가능한 블로그, 페이스북, 인스타그램에 관련된 부분만 언급하고자 한다. 그리고 각 채널별로 어떻게 이용하면 좋을지에 관해서도 알아보자.

블로그

소셜미디어 1세대 채널인 블로그는 현재 네이버의 검색장악력을 높이는 데 가장 기여를 많이 한 채널이다. 일반인들이 콘텐츠를 가장 많이 생산해낸 것이 바로 블로그이기 때문이다. 특정 정보가 궁금해서 키워드로 검색해보면 블로그에서 얻는 정보가 많다 보니 덩달아 네이버에서 검색하면 웬만한 정보는 다 얻을 수 있다는 인식이 생겼고, 이는 검색장악력으로 이어졌다.

최근 블로그 마케팅 플랫폼 '위드 블로그' 회원 1,662명을 대상으로 실시한 설문조사 결과, 전체 응답자의 69%(1,146명)가 '블로그 리뷰가 구매결정에 직접적인 영향을 준다'고 답했다. 설문조사 결과, 전체 응답자의 84%(1,396명)는 상품을 구입하거나 서비스를 이용하기에 앞서 블로그 리뷰 콘텐츠를 검색하는 것으로 조사됐다.

소비자들이 블로그를 통해 얻길 원하는 정보는 '제품 및 서비스의 실제 모습'이 42.6%(708명)로 가장 높았다. 이어 '타인을 통한 구매만족도 확인' 36.1%(600명), '제품 또는 서비스의 세부 내용 확인' 13.1%(218명) 등 경험에 기반한 정보가 주를 이뤘다. 또한 '좀 더 저렴한 구매 루트 및 할인정보 확인' 4.5%(75명), '다양한 상품 및 서비스 검색' 3.7%(61명) 등 합리적인 소비활동을 위한 정보 습득 창구로도 활용되고 있었다. 블로그 리뷰를 통해 주로 검색하는 상품 및 서비스는 전체 응답자의 57.7%(955명)가 맛집

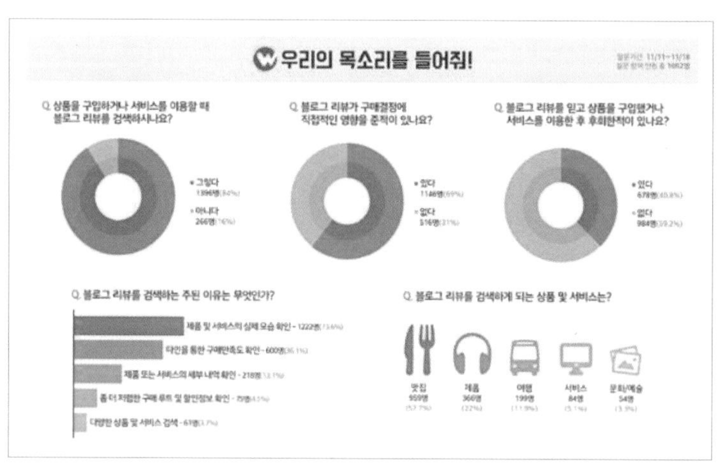

을 선택했다. 뒤를 이어 제품 22%(366명), 여행 11.9%(199명), 서비스 5.1%(84명), 문화/예술 3.3%(54명) 순으로 집계됐다.

전체 응답자의 40.8%(678명)는 블로그 리뷰를 믿고 상품을 구입했거나 서비스를 이용한 후 후회한 경험이 있는 것으로 나타났다. 59.2%(984명)는 만족스러운 결과를 얻은 것으로 조사됐다.

고객들이 블로그에서 콘텐츠를 많이 접하고 제품 또는 서비스에 대한 정보를 많이 얻다 보니 블로그를 활용한 체험단 마케팅을 많이 진행을 해왔다. 블로거들 덕분에 네이버는 검색장악력이 많이 올라가긴 했으나 체험단들의 후기 콘텐츠와 일명 파워블로거들의 상업적인 콘텐츠로 인해 고객들에게 검색 결과를 신뢰하지 못하겠다는 평가를 받기도 했다. 그래서 네이버는 신뢰도를 올리기 위해 많은 변화를 추구해왔다.

예전에는 파워 블로거들이 쓴 글들이 검색 결과에서 상위 노출이 잘되었다. 하지만 네이버는 검색 결과 나오는 콘텐츠의 질을 높이기 위해, 파워 블로거보다 특정 분야 전문가의 콘텐츠를 검색 결과에서 더 우선적으로 노출시키기로 결정하고 검색엔진 C랭크를 도입했다.

검색엔진 C랭크의 핵심 내용은 특정 분야의 전문 콘텐츠를 지속적으로 생산해낸 사람을 그 분야의 전문가로 보겠다는 것으로 콘텐츠의 축적 수를 본다. 그 이전에는 판매자가 블로그에 제품에 대한 홍보 콘텐츠를 상위 노출시키려면 우선 파워블로거가 되어야 했다. 그래야 어떤 글을 써도 노출이 잘 되었기 때문이다.

때문에 어디에 갈 때마다 글 소재가 될 만한 것들은 전부 블로그에 포스팅해서 올렸어야 했다. 그래서 맛집이며 여행이며 영화리뷰 등등 일상에서 글의 소재가 될 만한 내용이 있으면 전부 올렸다. 그리고 블로그가 어느 정도 활성화되었을 때 비로소 내가 홍보하고자 하는 제품을 쓸 수 있었다.

그 결과 대행사에 블로그 운영 대행을 맡겼을 때 만족도가 떨어지는 경우가 많았다. 우리 제품에 대한 글을 올려달라고 맡겼는데 관련 없는 맛집과 여행이야기를 써서 올리는 경우가 많았기 때문이다. 하지만 검색엔진 C랭크가 도입된 이후에는 그럴 필요가 없어졌다.

만약 판매하는 것이 화장품이라면 화장품 분야의 전문가가 되면 된다. 블로그에 매일 화장품과 관련된 콘텐츠를 올리면 된다. 다만 네이버가 상업적인 콘텐츠로 제재할 수 있는 행위를 하지 않으면 된다. 네이버에서는 단순히 업체의 후기를 써내는 행위나 상품에 대한 홍보 글은 상업적인 글로 보지 않는다. 네이버의 정책은 고객이 네이버 안에서 정보를 얻고 최대한 네이버 안에서 많이 머물기를 바란다.

소셜미디어 중에 가장 활성화가 많이 되어 있는 채널이 블로그인 만큼 블로그와 스마트스토어를 연결시키는 것은 네이버 내에서 고객이 정보도 얻고 쇼핑도 하게 하는 셈이다. 고객 입장에서도 네이버 내에서 모든 것이 이루어지기 때문에 편리하고 네이버에서도 매출로 이어지는 부분도 생기니 판매자, 고객, 네이버

모두에 도움이 되는 셈이다.

앞서 언급했던 네이버톡톡이라는 서비스까지 해서 '스마트스토어-네이버톡톡-블로그'로 연결해서 활용하는 것이 네이버가 가장 원하는 방향인 셈이다. 이렇게 네이버의 성장에 기여한 블로그가 2018년도 하반기부터 변화를 시도한다.

네이버는 블로썸데이를 개최하고 블로그를 유튜브의 대항마로 키우겠다고 발표를 한 바 있다. 2018년도 하반기에 블로그에 콘텐츠를 올릴 때 영상 콘텐츠를 바로 편집해서 올릴 수 있는 기능을 만들겠다고 발표한 것이다. 앞으로 블로그는 영상 콘텐츠 플랫폼으로 거듭날 예정이다.

페이스북

페이스북은 전 세계적으로 이용자가 가장 많은 소셜미디어다. 페이스북은 소셜미디어 중에서 확산 속도가 가장 빠르다. 여기에서 확산이란 '바이럴'이라고 표현한다. 마치 퍼지는 속도가 바이러스처럼 빠르다는 뜻이다. 그래서 페이스북은 바이럴 마케팅의 '끝판왕'이라고 부른다.

페이스북이 다른 채널에 비해 바이럴 속도가 빠른 이유는 사용자가 많아서이다. 그리고 바이럴 속도가 빠른 것에는 인맥 알고리즘과 알림 메세지 기능이 더해졌기 때문이다.

페이스북은 핸드폰 번호 또는 이메일 계정으로 가입한다. 핸드폰 번호로 가입 시 핸드폰 번호로 주고받는 정보가 전부 페이스북으로 전송된다.

예를 들어 핸드폰으로 잘못 걸려온 전화가 있을 경우 그 핸드폰 번호는 페이스북에서 정보를 가져가게 되어 있다. 페이스북에서 잘못 걸려온 전화번호를 수집해갔는데 그 번호로 가입한 페이스북 가입자가 있는 경우 '알 수도 있는 사람'이라고 뜬다. 그래서 페이스북에서 우리에게 친구로 추천하고 알 수도 있는 사람이라고 뜨는 사람들 중에서 우리가 모르는 사람들이 많은 이유다. 이것이 바로 페이스북의 '인맥 알고리즘'이다.

그리고 페이스북에 가입하면 나와 친구를 맺는 사람들의 소식을 수시로 '알림 메세지'로 받는다. 사실 다른 소셜미디어에도 알림 메세지 기능은 있으나 페이스북은 알림 메세지를 이메일로도 한번 더 발송해서 지인의 소식을 보게 푸시를 한다. 판매자들은 제품 매출을 올리기 위해 제품 홍보 영상이나 이미지를 만들어서 페이스북에 공유하기 이벤트를 진행하거나 페이스북 내에 광고를 진행하기도 한다.

페이스북은 아마존을 벤치마킹하며 샵 기능을 내놓았다. 아직까지는 상품에 대한 정보를 외부 사이트로 연결해서 올리게 되어 있다. 또는 페이스북 메신저로 제품에 대한 상담을 받게 유도하고 있다. 그러므로 페이스북 샵 기능을 활용하여 제품을 올리고 결제를 스마트스토어로 연결하면 페이스북을 통해서 스마트스토어로 유입되는 고객이 늘어날 수 있다.

인스타그램

사례 1

필자의 지인 중에 인스타그램을 즐겨하는 20대 후반 여성이 있다. 그녀는 평소 존경하는 언니의 실시간 방송을 보며 언니의 일상을 동경하고 언니가 하는 것에 지대한 관심을 갖고 있다. 그녀가 선망의 대상으로 생각하는 '그 언니'는 팔로우하는 인스타그램 유저가 27만 명이 넘는 여성의류 쇼핑몰의 김○○이라는 모델이다.

어느 날은 제주도 돌담을 배경으로 한 브랜드의 립스틱을 바른 사진들을 올리기 시작했다. "오늘은 입술 색에 신경을 썼더니 더 기분이 좋네요." 팔로워들이 묻는다. "언니, 그거 어디서 사셨어요?" 그녀는 답한다. "A 브랜드 제품인데, 우리한테만 싸게 준다대. 내일모레 팔 테니 궁금한 거 있으면 물어봐." 그렇게 그녀는 영상을 통해 이것저것 제품과 관련한 이야기를 한다. 구매가 시작되자마자 그녀가 판매한 제품은 '완판'된다.

사례2

부건에프엔씨의 패션 브랜드 '임○○'와 화장품 브랜드 '○○블리'도 인스타그램을 통해 대박이 났다. 대박의 비결은 약 80만 명의 팔로어를 보유한 회사 내 이사님의 인스타그램이었다.

'미디어 커머스'란 뷰티 인플루언서들의 소셜 미디어 활약을 기반으로 한 콘텐츠와 전자상거래를 연결한 사업모델이다. 미디어 커머스 시장이 앞으로 온라인 상거래 시장의 한 축으로 성장할 전망이다. 위의 예시처럼 인스타그램 등 특정 소셜네트워크에서 활약하는 인플루언서가 제품의 존재를 자신의 팔로워들에게 자연스럽게 보여준다. 상세한 사용법과 장단점을 설명하면서 팔로워들의 궁금증을 해결해주면서 관심을 유도한다.

인플루언서 마케팅의 핵심은 '소통'이다. 홈쇼핑처럼 인플루언서가 상품에 대해서만 이야기를 하는 것이 아니라, SNS에서 평소에도 팔로워와의 '관계'를 이어가야 한다. 인플루언서는 일상을 공유하며 친구처럼 격식 없이 수다를 떨면서 소통하다가 좋은 상품을 자연스럽게 소개하고 가감 없이 궁금증도 풀어준다.

10대, 20대들은 인스타그램 등 시공간 제약을 받지 않는 모바일을 통해 만나는 뷰티 인플루언서들의 일상 속 이야기에 더욱 귀를 기울인다. 상품 정보를 일방으로 제공하는 광고 콘텐츠보다도 뷰티 인플루언서의 말 한마디의 영향력이 더 커졌다. 지난 2017년도에 SNS를 통해 화장품을 판매한 인플루언서는 130명 정도로 추산되는데, 이들이 1,500억 원의 매출을 올렸다고 한다. 2019년까지 4,000억 원의 시장으로 성장할 것으로 전망된다.

인스타그램 내에서 상품에 대한 정보가 인플루언서 중심으로 확산되고, 제품에 대한 구매까지 이어지는 사례가 많이 생기면서 인스타그램이 쇼핑 채널로 각광받고 있다. 그 결과 2018년 5월 31일 인스타그램은 쇼핑 기능을 도입했다.

그동안 인스타그램에선 인플루언서들이 자신의 브랜드 제품을 홍보하고 판매해왔다. 사업자등록을 내고 자신의 인스타그램 프로필에 개인 블로그 주소를 연결시켜 제품을 판매하거나 인스타그램 다이렉트 메시지를 통해 계좌번호를 알려주는 방식이 대부분이었다.

패션·뷰티 인플루언서들의 개인 브랜드 홍보 창구였던 인스타그램에 최근 기업도 뛰어들고 있다. 인스타그램 쇼핑 서비스는 사진 안에 있는 장바구니 모양 아이콘을 통해 이뤄진다. 사진을 클릭하면 해당 제품의 가격정보가 뜨고, 구입할 수 있는 웹사이트로 연결된다. 해외에서 먼저 시작한 이 서비스는 샤넬뷰티, 겐조, 오프닝 세레모니 등 유명 브랜드와 네타포르테, 매치스패션 등 쇼핑몰들이 활용하고 있다. 국내에 도입되자마자 대기업들이 속속 인스타그램 쇼핑 서비스를 시작했다.

코오롱FnC의 라이프스타일 브랜드 '에피그램', 삼성물산 패션 부문의 제조·직매형 의류(SPA) 브랜드 '에잇세컨즈', 영원아웃도어의 '노스페이스 화이트라벨' 등이 대표적이다. 아모레퍼시픽의 '라네즈'와 '마몽드', LG생활건강의 '더페이스샵'과 '비욘드', 미국 화장품 브랜드 '에스티로더' 등이 인스타그램 계정에 쇼핑 기능을 추가했다.

패션·뷰티업계에서는 앞으로 백화점 등 오프라인 매장보다는 온라인 몰, SNS 등으로 소비 수요가 몰리는 현상이 가속화될 것으로 내다보고 있다. 앞으로는 일반 판매자들에게도 쇼핑 서비스는 확대될 예정이다.

나도 모르게 저지르는 독이 되는 행위

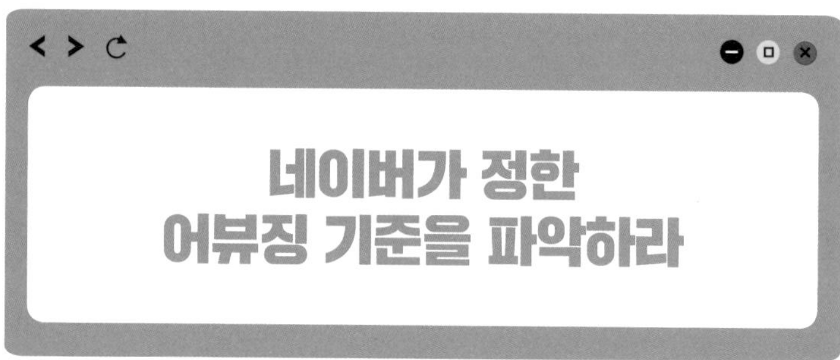

네이버가 정한
어뷰징 기준을 파악하라

마케팅 업계에서 국내 포털 1위인 네이버를 활용해서 마케팅을 진행하는 것은 필수다. 그러다 보니 네이버에서 특정 키워드를 검색했을 때 상품에 대한 노출 경쟁이 치열하다.

검색장악력이 높은 네이버에서 내 콘텐츠가 노출되면 그만큼 매출로 이어질 확률도 높다. 또 인지도가 올라가는 데에 도움이 된다. 그렇다 보니 상위 노출을 하기 위해 불법 프로그램을 사용하기도 하는 등 일명 네이버가 규정하는 어뷰징 행위들이 발생하고 있다.

어뷰징 기준 이해하기

네이버는 예전부터 콘텐츠를 필터링하여 검색엔진을 강화하는 정책을 지속적으로 펼쳐왔다. 그것의 일환으로 콘텐츠 필터링 기능을 강화함과 동시에 어뷰징 콘텐츠에 대한 제재를 주는 검색 엔진 기술 개발과 정책 또한 지속적으로 강화해왔다. 여기서 염두해두어야 할 부분은 어뷰징에 대한 행위가 판매자가 생각하는 기준과 네이버의 기준이 다르다는 것이다. 어뷰징에 대한 부분은 네이버 검색엔진이 나아가고자 하는 방향에 위배되는 행위로 생각하면 쉽게 이해할 수 있을 것이다.

네이버지식백과에 따르면 어뷰징이란 "오용, 남용, 폐해 등의 뜻을 가진다. 인터넷 포털 사이트에서 언론사가 의도적으로 검색을 통한 클릭 수를 늘리기 위해 동일한 제목의 기사를 지속적으로 전송하거나 인기 검색어를 올리기 위해 클릭 수를 조작하는 것 등이 어뷰징 행위에 해당된다."라고 정의한다.

네이버에서는 계속해서 어뷰징 행위 자체에 대해서 제재를 하는 정책 및 검색엔진을 개발해왔다. 최근 민주당원의 포털 댓글 여론 조작 의혹사건인 이른바 드루킹 사건이 터지면서 어뷰징 행위에 대한 제재를 더 강화했다. 드루킹 사건처럼 댓글이든 클릭 수든 조작을 하는 행위들은 일반적으로 바로 납득이 될 만한 어뷰징 행위다.

그런데 우리가 알지 못한 상태에서 어뷰징 행위를 하는 경우가 있다. 이런 경우 제재를 받게 되어 억울한 상황이 발생할 수 있다. 그러니 일반적인 기준이 아닌 네이버의 기준에서 이해를 해야 한다.

고객과 주고받은 메세지, 네이버는 다 알고 있다

"톡톡으로 후기를 써달라고 유도한 적이 있었는데 그때 이후로 네이버쇼핑에서 제 제품이 검색이 잘 안 됩니다. 혹시 어뷰징에 걸린 걸까요?"

네이버톡톡을 통해서 체험단에게 제품을 구매하게 하고 구매 후기를 작업하면 그동안 잘 노출되던 상품이 노출되지 않는 현상이 일어난다. 후기를 작업하는 행위 자체가 전자상거래법상 불법이다.

네이버톡톡에서 주고받은 내용은 네이버 데이터에 기록으로 남는다. 네이버톡톡으로 체험단과 후기에 대한 거래 기록을 남기는 것은 가짜 후기를 작업한다고 네이버에 보고서를 내는 행위와 같다. 네이버톡톡에서 대화하는 내용들은 전부 네이버에서 보고 있다는 점을 명심해야 한다.

고객 방문이 많은 것처럼 트래픽을 조작하는 행위

"네이버쇼핑 순위를 올리는 프로그램이 있나요? 작업을 해주는 곳이 있다면 알려주실 수 있나요?"

사람들이 흔히 물어보는 질문 중 하나다. 네이버쇼핑에서 제품을 비교하는 사람들이 많으니 네이버쇼핑 영역에서 상위 노출되는 것은 판매자라면 욕심이 날 수밖에 없다.

네이버쇼핑 영역 상위 노출에 영향을 끼치는 요소 중에 트래픽이 인기도를 평가하는 요소 중 하나라는 것을 알고 일부 트래픽을 조작하는 어뷰징 행위가 공공연하게 있었다. 네이버는 트래픽을 조작하는 행위를 막기 위해서 제재 정책을 펼쳐왔다. 그래서 최근에 도입된 내용은 바로 '유효 트래픽'이다.

네이버는 스마트스토어나 스마트스토어의 상품에 사람들이 클릭만 하고 바로 나가는 것을 인기도 지수로 평가할 수 있느냐에 대한 고민을 해왔다. 유효 트래픽을 도입한 핵심은 고객이 스마트스토어 또는 상품페이지를 보러 들어와서 얼마나 머물러 있었느냐에 대한 부분까지 평가하겠다는 것이었다. 트래픽을 통해 고객이 내 상품을 보러 들어와서 얼마나 머물렀는지 그 시간을 평가하겠다는 것이다.

최근 소셜미디어에서도 인기 있는 게시물을 평가하는 지표로 유효 트래픽을 이용하고 있다. 트래픽에 대한 조작이 행해질수록 유효 트래픽에 대한 시간 기준은 점점 길어질 것이다.

유효 트래픽은 매우 민감한 부분으로 네이버에서 공식적으로 발표하진 않고 있지 않다. 발표가 되었을 때 그 부분을 활용한 어뷰징 행위가 더 많이 일어날 것을 우려하기 때문이다. 트래픽을 늘리기 위해 프로그램을 활용해서 조작하는 행위보다 페이스북, 블로그, 인스타그램 등의 여러 채널을 활용해서 스마트스토어로 고객들이 많이 유입되게 하는 것 자체가 트래픽을 올릴 수 있는 가장 효과적이고 안정적인 방법이다. 그리고 단순 숫자만 늘리는 마케팅은 이제 의미가 없다는 사실을 인지해야 한다.

상품 등록을 자주 수정하는 행위

"스마트스토어에 상품을 등록하고 난 이후에 자주 수정을 하면 좋지 않다고 하는데 사실인가요?"

수강생들이 많이 질문하는 내용이다. 우선 결론부터 이야기하자면 네이버는 수정 행위 자체를 좋아하지는 않는다. 그 이유는 수정될 때마다 수정된 내용을 토대로 점수 집계를 다시 해야 하기 때문이다.

네이버 입장에선 판매자가 상품에 대한 정보를 수정할 때마다 수정된 정보를 반영해야 하기 때문에 검색엔진에 투자를 해야 하는 비용과 시간이 많이 들어가게 된다. 이러한 이유로 네이버에서는 수정을 많이 하는 행위 자체가 반갑지 않은 것이 사실이다.

가장 좋은 것은 제품을 한번 등록할 때 시간 투자를 해서 최대한 수정을 하지 않게 등록을 하는 것이다. 다만 여기에서 유의해야 할 부분은 긍정적인 방향으로 수정이 되느냐 부정적인 방향으로 수정이 되느냐가 중요하다. 네이버 검색엔진이 보는 정확도에서 긍정적인 부분으로 수정이 이루어지면 순위 반영에서 가점이 되어 순위가 더 위로 올라가고, 부정적인 부분으로 수정이 이루어지면 감점이 되어 순위가 내려간다.

예를 들어 상품에 대한 항목을 최대한 기재하는 것이 유리한데 작성 안 했던 항목을 작성하는 것 때문에 수정을 한다면 이는 순위 반영에서 긍정적으로 작용한다. 다만 순위에 대한 부분은 절대평가가 아닌 상대평가이기 때문에 경쟁 상대보다 더 많은 정보를 자세하게 입력해야 하고 혜택도 경쟁자보다 더 많이 주어야 순위 반영에서 가점이 될 수 있다.

동일한 상품을 여러 개 복사해서 등록하는 경우

예전에 동일한 상품을 여러 개 올려서 일명 도배를 한 적이 있었다. 동일한 제품을 고객들에게 많이 노출시켜서 매출을 일으키려는 전략이었다. 지금 판매를 하면서 이러한 행동을 한다면 바로 퇴출을 각오해야 한다. 동일한 상품을 반복하는 것은 네이버에서 어뷰징 행위로 간주하고 있다.

스마트스토어에 A라는 아이디로 가입해서 동일한 B라는 상품을 반복적으로 등록하는 행위는 판매처가 여러 곳인 걸로 인정받지 못할뿐더러 패널티를 받는다. 필자도 예전에 같은 상품을 여러 개 도배해서 판매에 대한 제재를 받은 적이 있다. 복사 등록 기능을 잘못 사용하면 판매 활동에 제재를 받을 수 있다.

구체적으로는 판매 중지 처리 및 검색 반영에서 패널티 등을 받는다. 우선은 판매에 대한 경고 조치가 취해질 수 있으며 이후 수정 및 보완이 되지 않을 경우 검색 반영에 제재를 받거나 패널티를 받을 수 있다.

최근 복사 등록과 관련해서 제재가 더 심해져서 다음과 같은 사례도 어뷰징 행위로 간주한다. 동일한 상품을 등록 및 삭제 후 다시 새로운 상품 ID로 등록하는 사례다.

네이버쇼핑 영역에 상품을 등록하면 네이버는 상품에 대한

DB를 수집하고 검색에 반영시켜주어야 하는데, 삭제 후 다시 등록하면 DB 처리 비용 증가와 함께, 정상적인 상품의 업데이트를 지연시키는 영향을 초래한다. 이에 패널티 제도를 만들어 제재를 하고 있다. A라는 상품 품절 이후 판매 중지된 상품을 다른 새로운 판매자 ID로 등록할 경우도 마찬가지로 어뷰징 행위로 간주하고 있으니 참고하기 바란다.

패널티 점수가 쌓이지 않게 조심하라

곰돌이 푸우 편지지를 네이버쇼핑에서 검색해서 결제를 한 적이 있다. 하지만 판매자 쪽에서 뒤늦게 제품이 품절되어 배송이 어렵다며 환불해주겠다는 문자 메세지가 왔다. 품절이면 제품이나 올려놓지 말지 결제까지 했는데 배송이 어렵다며 거절을 당하니 기분이 좋지 않았다.

또 한번은 공기청정기를 구매하려고 네이버쇼핑에서 공기청정기를 검색해서 정보를 비교하고 결제까지 했다. 결제하고 적어도 4~5일 뒤에는 올 줄 알았던 공기청정기가 7일이 넘어도 오지 않아서 판매자에게 연락해보니 연락이 되질 않았다. 문의 게시판에는 주문했는데 왜 오지 않느냐는 글들이 올라와 있었다. 더 이상 기다릴 수 없어 결제 취소를 눌렀다. 판매를 제대로 하지 않을

품절이 된 제품을 품절로 표기해 두지 않는 등의 행동은 관리 소홀로 패널티 대상이 된다.

거면서 제품은 왜 올려놨는지 이해할 수 없었다.

'판매 관리 패널티' 제도

상품 등록을 하는 판매자가 많아질수록 소비자 입장에서도 비교할 제품이 많아지고 네이버도 많은 정보를 소비자에게 제공할 수 있어서 좋은 일이다. 하지만 제품들이 등록만 되어 있고 고객이 정작 주문을 했을 때 판매자가 고객 응대에 대한 부분에서 관리가 제대로 되지 않으면 고객에게 신뢰를 주지 못한다. 이러한 부분은 판매자에게만 이미지 타격을 주는 것이 아니라 네이버에도 이미지 타격인 셈이다.

스마트스토어에서는 판매자 · 구매자 간의 건전하고 안전한 전자상거래를 위하여 판매 관리 프로그램을 운영하고 있다. 소비자의 권익을 해칠 수 있는 판매 활동이 확인되는 경우 판매관리 패널티를 부여한다. 그리고 패널티 점수가 누적되면 판매관리 프로그램에 따라 단계적 제재를 받게 되어 서비스 이용제한 또는 계약이 해지될 수 있다. 고의적 부당행위가 발견될 경우에도 규제가 진행된다.

발송 지연, 품절, 클레임 처리 지연 등 판매 활동이 원활하게 이루어지지 않을 경우 패널티가 부과된다. 판매 관리 패널티 부과 기준은 다음과 같다.

발송 유형별 발송 처리기한

발송 유형별로 발송 처리 기한은 상이하게 설정된다.

- 일반 발송 상품 : 결제 완료일로부터 3영업일
- 오늘 출발 상품 : 오늘 출발 결제시한까지 결제 시 결제 완료

| 발송 유형별 패널티 |

항목	상세 기준	패널티 부여일	점수
발송 처리 지연	발송 유형별 발송 처리기한까지 미발송(발송 지연 안내 처리된 건 제외)	발송 처리기한 다음 영업일에 부여	1점
	발송 유형별 발송 처리기한으로부터 4영업일이 경과 후에도 계속 미발송 (발송 지연 안내 처리된 건 제외)	발송 처리기한 +5영업일에 부여	3점
	발송 지연 안내 처리 후 입력된 발송 예정일로부터 1영업일 이내 미발송	발송 예정일 다음 영업일에 부여	2점
품절취소	취소 사유가 품절	품절 처리 다음 영업일에 부여	2점
반품 처리 지연	수거 완료일로부터 3영업일 이상 경과	수거 완료일 +4영업일에 부여	1점
교환 처리 지연	수거 완료일로부터 3영업일 이상 경과	수거 완료일 +4영업일에 부여	1점

| 발송 처리 지연 패널티 예시 |

월요일 (2/1)	화요일 (2/2)	수요일 (2/3)	목요일 (2/4)	금요일 (2/5)	토요일 (2/6)	일요일(2/7) 월요일(2/8)
발송 처리 기한	**발송 지연 패널티 +1점**	발송 처리 기한 +4영업일				**발송 지연 패널티 +3점**
미발송						

판매 관리 패널티 단계별 제재

판매자 단위로 최근 30일간 판매관리 패널티가 10점 이상이며, 판매관리 패널티 비율(판매관리 패널티 점수의 합/결제 건수의 합)이 40% 이상인 경우에는 적발 횟수에 따라 판매 활동이 제한된다. 1단계는 주의를 주고 2단계는 경고 조치를 취한 이후 3단계는 이용 제한으로 들어간다.

1단계: 주의

최근 30일 동안 스마트스토어의 패널티 점수의 합이 10점 이상이며, 판매관리 패널티 비율(판매관리 패널티 점수의 합/결제건수의 합)이 40% 이상이 최초로 발생된 상태이니 주의를 준다.

2단계: 경고

'주의 단계'를 받은 판매자 중 최근 30일 동안 최초 주의 단계에서 발생한 일이 다시 한번 발생했을 경우에는 경고 조치를 받는다. 주의 단계를 받은 판매자가 스마트스토어의 패널티 점수의 합이 10점 이상이고, 판매관리 패널티 비율(판매관리 패널티 점수의 합/결제 건수의 합)이 40% 이상인 경우이다. 경고 조치를 받은 판매자는 '경고 단계'를 받은 날로부터 7일간 신규 상품 등록이 금지(스마트스토어센터 및 API 연동을 통한 신규 상품 등록 금지)된다.

3단계: 이용 제한

'경고 단계'를 받은 판매자 중 최근 30일 동안 스마트스토어의 패널티 점수의 합이 10점 이상이고, 판매관리 패널티 비율(판매관리 패널티 점수의 합/결제건수의 합)이 40% 이상인 경우이다. 그러면 스마트스토어 이용 정지 처리되어 판매 활동 및 정산이 제한된다.

고의적 부당 행위

고의적 부당 행위는 판매자의 판매 행위 중에서 구매자와 네이버에 큰 피해를 줄 수 있거나, 네이버에서 엄격하게 금지하고 있는 행위를 하는 경우다. 고의적 부당행위로 적발되면 이용약관과 서비스 이용 규칙 등 회사의 정책에 따라 즉시 이용 정지되거나 이용계약이 해지될 수 있다. 고의적 부당 행위의 대표적 예는 다음과 같다.

① 고객센터 상담원 혹은 고객 응대와 관련하여 피해를 입히는 경우로 아래 각 사항에 해당하는 경우

- 상담 시 상담원에게 욕설, 성적 발언을 하는 경우
- 판매자가 연락처를 기입하지 않거나 허위로 기입하는 경우
- 구매계약 및 법상의 판매자가 해결해야 할 구매자의 불만을 네이버에게 책임을 전가하고 처리하지 않는 경우
- 판매자가 연락두절 상태인 경우
- 기타 위에서 정하지 않았으나 각 항의 사유와 유사한 경우

② 스마트스토어에서 규정하고 있는 이용 규칙을 고의적으로 악용하는 경우로 아래 각 사항에 해당하는 경우

- 배송 전 구매 확정을 유도하는 경우
- 네이버가 정한 규정이 아닌 판매자 본인의 기준으로 반품, 교환, 취소 규정을 적용하는 경우
- 악의적으로 AS를 피하는 경우
- 구매자 정보를 무단으로 사용하거나 유출하는 경우
- 배송 방법을 고의적으로 오기입하여 구매자 불만이 발생하는 경우(예: 택배 발송인데 직접 배송으로 설정)
- 가짜 송장번호를 기재하는 행위
- 제품이 배송되기 전 먼저 송장 번호를 등록한 경우
- 기타 위에서 정하지 않았으나 각 항의 사유와 유사한 경우

③ 불건전한 판매활동으로 인해 구매자의 불만을 발생시키는 경우로 아래 각 사항에 해당하는 경우

- 반품 취소 사유가 판매자에 의한 이유임에도 불구하고 구매자의 귀책으로 사유를 설정하여 패널티를 피하려고 한 경우
- 배송 기한을 고객의 동의 없이 합리적인 수준 이상으로 무리하게 연장하는 경우
- 정당한 이유 없이 배송이 과도하게 지연되는 경우(배송 지연에 대한 소명이 부적절한 경우)

- 민원 · 분쟁 발생 행위: 정당한 이유 없이 반품 · 환불을 거부하는 경우
- 민원 · 분쟁 발생 시 정당한 사유 없이 중재안을 거부하는 경우
- 정당한 이유 없이 특정 고객의 연락을 고의적으로 회피하는 경우
- 외부 기관 민원 대응 시 적극적으로 협조하지 않을 경우
- 고의적으로 구매자의 금전적 손실을 가하는 경우
- 기타 위에서 정하지 않았으나 각 항의 사유와 유사한 경우

④ 네이버에 금전적 손실을 가하거나 이미지에 해를 끼치는 경우

⑤ 그 외 관계 법령 위반이나 회사 정책에 근거하여 고의적 부당 행위로 인정되는 경우

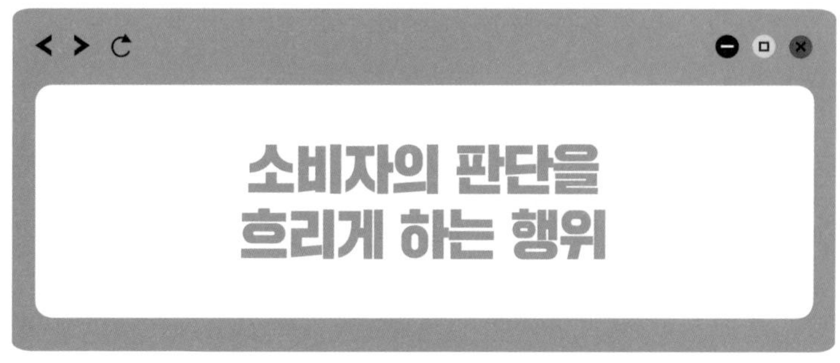

소비자의 판단을 흐리게 하는 행위

네이버는 쇼핑 영역 활성화를 위해 여러가지 정책을 도입하고 있다. 소비자로 하여금 구매를 하는 데 방해가 되거나 구매를 결정하는 데 판단을 흐리게 하는 행위들을 패널티로 규정하고 있다. 그중에 대표적인 내용이 대표이미지와 옵션가이다.

대표이미지 해상도 확인하기

네이버쇼핑에서 고객들이 가장 먼저 접하고 들어오는 대표이미지의 퀄리티, 즉 해상도가 낮은 경우 이미지가 흐릿하게 보이게 된다. 이미지가 흐릿하게 보이게 되면 제품을 선택할 확률이 낮아지고 구매를 결정하는 데 방해가 되는 요소로 보고 있다. 따라서 대표이미지를 올릴 때는 해상도가 높은 사진으로 올려야 한다.

옵션가

마스크팩을 사기 위해 네이버쇼핑에서 검색을 했는데, 가격이 590원이다. 이게 웬 횡재인가 싶어서 클릭을 한다. 여러 가지 마스크팩 중에서 한 가지를 골라 구매하려는 순간 '+690원'이라고 나온다. 실망스럽다. '590원'인 줄 알고 클릭했는데 690원이 더해져 최종 금액은 1,280원이다.

포괄적인 상품명으로 옵션가가 있음을 알 수 없게 한 경우

위의 예시를 보면 메디힐 마스크팩이라고 상품명에 기재되어 있고, 대표이미지에도 많은 종류의 마스크팩 이미지가 한꺼번에 보인다. 그런데 막상 마스크팩을 주문하려고 들어가보니 위에 4개 정도의 옵션을 제외하고는 나머지는 추가 가격이 붙어 있는 것을 확인할 수 있다.

상품명에 표시된 상품 선택 시 옵션 추가금이 있는 경우

위의 사례에서 보면 상품명에 '붙이는핫팩'이라고 나와 있는데 옵션에서 붙이는 핫팩을 선택하면 50원의 추가금이 붙는다. 고객은 붙이는 핫팩에 대한 가격을 70원으로 기대하고 들어왔다 막상 사려고 하면 50원의 추가금이 붙어서 결국 결제하는 가격은 120원이 된다.

이런 사례는 온라인쇼핑을 하며 흔히 겪는 일이다. 순간 소위 '낚였다'는 생각도 든다. 이처럼 할인율을 이용한 낮은 가격으로 구매자를 유도하고, 실제 판매되는 상품에는 옵션 추가금을 붙이는 방식으로 구매자를 현혹하는 사례가 많아졌다.

그 결과 해당 판매자에 대한 신뢰도가 떨어지는 것은 물론이고, 판매자의 이미지에도 좋지 않은 영향을 끼친다. 나아가서는 네이버쇼핑 영역에 대한 이미지 평가에도 좋지 않다. 그래서 네이버는 옵션에 대한 정책을 더욱 강화했다. 지나친 상품 옵션 설정으로 인해 스마트스토어를 이용하는 고객의 부정적인 경험을 개선하고자 옵션 제한 기준을 만든 것이다. 최근 바뀐 정책 내용은 다음과 같다.

판매가	변경 전	변경 후
2,000원 미만	0~+10,000원	0~+100%
2,000~10,000원 미만	-50~+10,000원	-50~+100%
10,000원 이상	-50~+100%	-50~+50%

판매가 기준으로 옵션가를 변경한 기준으로 맞추어 상품을 등록해야 하고 이를 지키지 않았을 경우 패널티를 받는다. 그리고 옵션값에 설명문구/특수기호를 이용하여 구매자 선택을 방해하는 경우는 '중간취소, 교환, 반품 불가동의'라는 단어를 사용하는 경우다. 이는 고객에게 취소, 교환, 반품을 강제로 강요하는 것과 같다. 이러한 문구를 현재는 옵션에 적용할 수 없도록 막아놓은 상태이다.

네이버쇼핑 영역 상품 순위 공식 정리

네이버쇼핑 영역 노출 순위의 기준이 무엇인지에 대한 질문을 많이 받는다. 이는 자세히 말하지 않아도 상위 노출에 대한 노출 순위의 기준, 즉 상위 노출 로직이 알고 싶다는 뜻이다.

상위 노출은 참 민감하다. 기준의 조건과 변동 사항이 많기 때문이다. 3장은 키워드, 4장은 상품등록 노하우, 5장은 활성화, 6장은 마이너스 활동에 관해서 이야기했다. 주제는 달라도 결국 이제까지 언급한 내용들은 네이버쇼핑 영역 노출 순위와 관련된 내용들이다. 이 내용을 다 요약해서 사이버 쇼핑 영역 순위 공식을 정리해보고자 한다.

이 책에서는 네이버쇼핑 영역에서 노출 순위가 결정되는 데에 영향을 끼치는 부분을 크게는 활성화 지수, 마이너스 활동 이렇게 두 가지로 설명했다. 긍정적인 요소로 작용하는 것에는 네이버 검색엔진, 판매자, 소비자 인기도 이렇게 나눌 수 있다.

네이버 검색엔진은 빠르고 정확한 검색결과를 추구해서 많은 키워드를 넣는 것보다 하나의 키워드를 넣는 것을 더 정확하다고 하였다. 그리고 제품에 대한 출처 정보를 중요하게 보며, 제조사, 브랜드, 모델명, 페이지타이틀(page title), 메타디스크립션(meta description) 항목의 내용을 중요하게 평가한다.

판매자 영역은 판매자가 상품을 등록할 때 최대한 많은 정보를 기재하는 것이 유리하며, 이는 스마트스토어가 상품에 대한 정보를 저장하는 저장소라는 개념에서 이해하면 쉽다.

상품에 대한 정보 중에 상품정보제공고시라는 항목과 태그, 그리고 상대적으로 같은 카테고리에 있는 판매자들보다 얼마나 더 많은 혜택을 제공하고 있는지 그리고 상세페이지에 상품에 대해 얼마나 충실하게 설명했는지 콘텐츠 가중치에 대한 점수가 중요하다. 콘텐츠 가중치는 상품을 설명하는 방법을 텍스트, 이미지, 동영상 등 다양한 방법을 최대한 동원해서 설명했을 때 상품에 대한 충분한 정보를 전달한다고 보고 있다.

소비자 인기도 점수는 가장 중요시 평가되는 항목이다. 매출액, 매출 건수, 상품 공유 수, 상품찜 수, 스토어찜 수, 스토어 공유 수, 유효 트래픽, 구매 후기 개수 등은 소비자 인기도 활성화 지수의 척도에 해당되는 항목이다.

활동이 많으면 많을수록 긍정적인 요소로 작용하는 부분이라면 마이너스 활동도 있다. 판매 관리를 부실하게 하는 행위들과 고객들이 가장 먼저 보고 들어오는 대표(목록)이미지의 해상도와 고객들이 제품을 선택하는 데에 헷갈리게 옵션을 작성하는 것 또한 마이너스 지수가 될 수 있다.

정확도	활성화 지수		마이너스 지수
네이버 검색엔진	판매자	소비자 인기도	패널티
– 1키워드 – 상품명 – 제조사 – 브랜드 – 모델명 – 페이지타이틀 – 메타디스크립션	– 상품 정보 제공 고시 태그(요즘 뜨는 HOT 태그, 감성 태그, 이벤트 태그, 타겟 태그) – 상품 정보 하나하나 입력에 충실해야 함 – 혜택 항목 콘텐츠 가중치	– 매출액 – 판매 건수 – 상품 공유 수 – 상품찜 수 – 스토어찜 수 – 스토어 공유 수 – 유효 트래픽 – 구매 후기 개수	– 판매 관리 패널티 – 대표(목록)이미지 해상도 – 애매한 옵션명

스마트스토어 쇼핑몰 세팅과 운영 관리

쇼핑몰을 시작하려면 대개 쇼핑몰을 구축한 다음 그 안에 상품을 세팅한다. 하지만 스마트스토어는 반대다. 상품을 등록하고 난 이후에 쇼핑몰을 구축하는 것이다.

스마트스토어 쇼핑몰은 PC와 모바일로 구축할 수 있다. 스마트스토어센터에서 스마트스토어 관리를 누르면 PC 전시 관리, 모바일 전시 관리, 카테고리 관리, 쇼핑스토리 관리, 스토어 관리가 나온다.

PC 전시 관리

PC 전시 관리는 테마 관리, 배경 관리, 레이아웃 관리, 컴포넌트 관리, 메뉴 관리, 소개페이지 관리, 스페셜 상품 관리, 프리미엄 구매평 관리로 나누어진다.

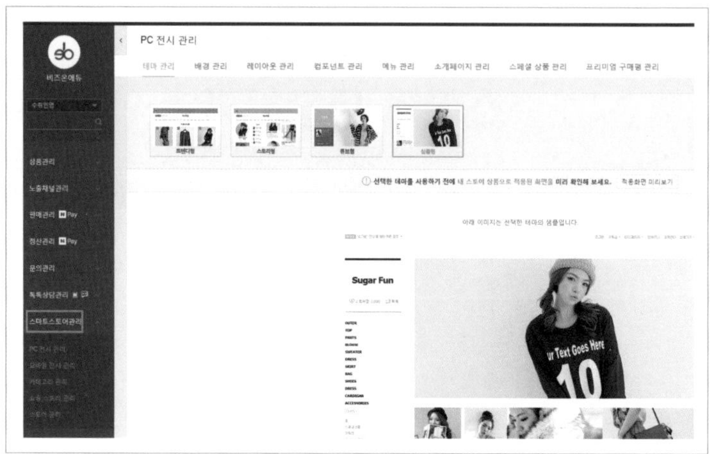

스마트스토어관리-PC전시관리-테마관리

테마 관리

기존에는 PC심플형/큐브형, 모바일 기본형/매거진형 각 2가지 테마만 제공이 되었는데, 2018년도 2월부터 PC와 모바일을 동시에 적용할 수 있게 되어 스토어 관리가 편해졌다. 구체적으로는 PC와 모바일 트렌디형 테마와 스토리형 테마가 새롭게 추가되었다.

최근에 추가된 트렌디형과 스토리형에 대해서 좀 더 살펴보자. 다음 화면은 스토리형으로 적용했을 때의 PC와 모바일 버전 화면이다.

트렌디형과 스토리형은 테마 관리 영역에서 생긴 지 얼마 안 된 테마다. 보통은 PC와 모바일 쇼핑몰을 세팅할 때 화면의 크기

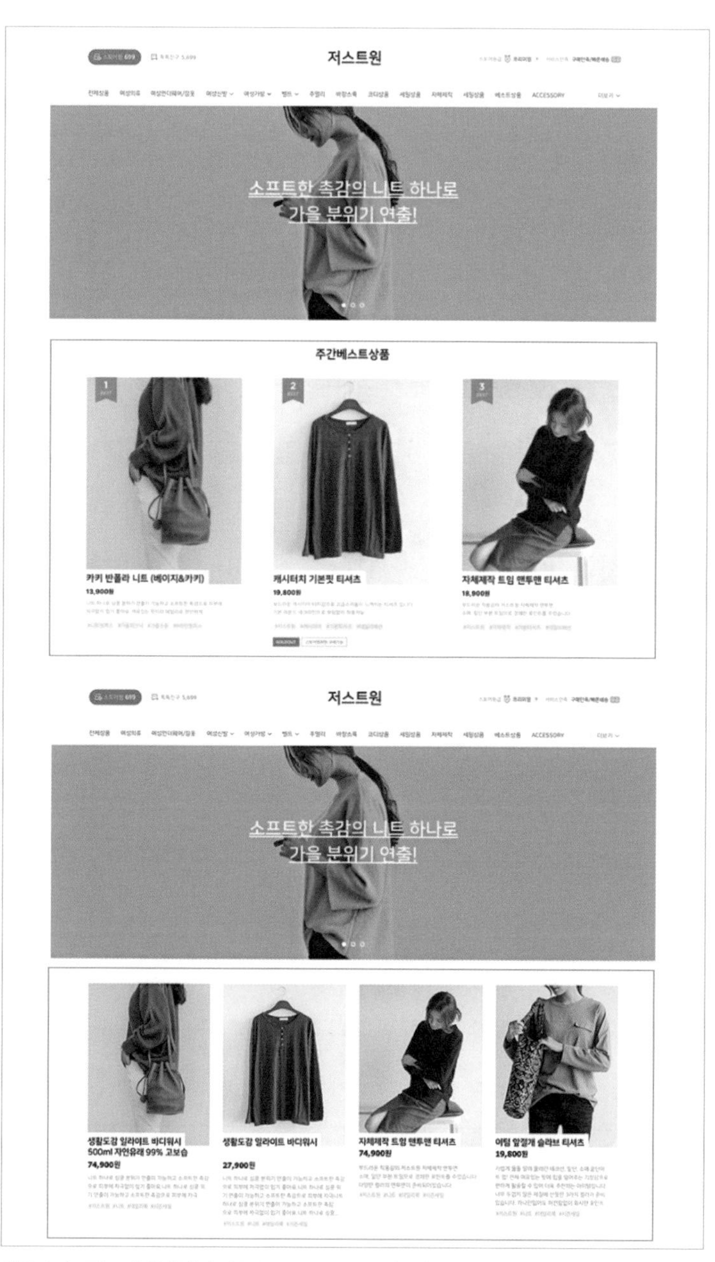

사진이 강조된 트렌디형(위)과 내용이 강조된 스토리형(아래)

가 다르기 때문에 PC와 모바일에 맞게 각각 세팅했다. PC나 모바일 똑같이 순서대로 적용된 것을 확인할 수 있다.

트렌디형과 스토리형의 차이점은 트렌디형은 제품의 사진 크기가 좀 더 강조되어서 보이고, 스토리형은 제품 상세페이지의 내용이 더 보이면서 잡지 형태처럼 보이는 차이가 있다.

심플형과 큐브형은 스마트스토어가 만들어지기 전부터 있었던 테마로, 대부분의 쇼핑몰들이 가장 많이 쓰는 형태다. 심플형은 카테고리가 왼쪽에 배치되어 있다. 이는 카테고리가 강조된 형태다.

큐브형은 사진이 강조된 형태로, 카테고리가 이미지 아래에 배치되어 있다. 스마트스토어에 들어온 고객이 좀 더 빨리 제품을 찾게 하는 데에 효과적이다. 제품의 이미지 사진을 부각시켜야 하는 제품군 쪽에서 선택하면 좋은 테마다. 대체적으로 여성 의류쪽이나 가전 제품 쪽이 큐브형을 선택하는 경우가 많다. 심플형과 큐브형은 PC와 모바일을 각각 세팅해야 한다.

배경 관리

큐브형과 심플형은 배경 컬러가 8가지로 구성되어 있으며, 트렌디형과 스토리형은 배경 컬러가 10가지로 구성되어 있다. 이 컬러는 PC와 모바일 모두 똑같이 제공한다. 쇼핑몰과 가장 잘 맞는 컬러를 선택하면 된다.

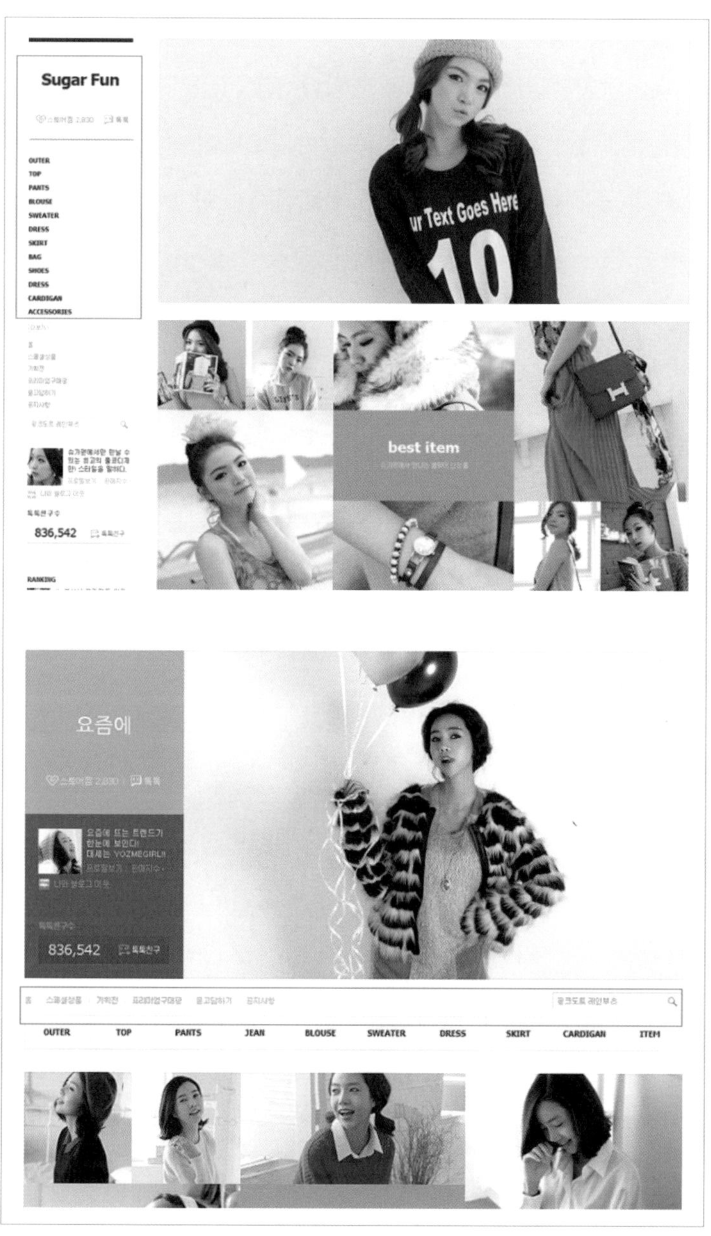

카테고리가 강조된 심플형(위)과 사진이 강조된 큐브형(아래)

레이아웃 관리

레이아웃은 건축 설계도면과 같다. 건축물을 지을 때 설계도면을 설계해야 하듯, 레이아웃은 스마트스토어에 쇼핑몰을 만들고 고객들에게 어떤 정보부터 먼저 보여줄 것인가에 대한 순서를 정하는 것이다. 한마디로 판매하는 상품 중에 어떤 상품을 먼저 진열해서 보여줄 것인가에 대한 부분이다.

주간 랭킹 상품부터 먼저 보이게 배치할 수도 있고 상품 전체 목록을 먼저 보여줄 수도 있다. 각각의 영역별로 고객들에게 어떤 제품을 보여줄지 선택하면 된다. 베스트 상품을 가장 먼저 보여주고 싶으면 베스트 상품 코너를 맨 위에 진열하면 된다.

소개페이지 관리

구매자들 중에 판매자가 궁금해서 판매자 소개페이지를 보는 경우가 있다. 판매자에 대한 신뢰도를 보고자 하는 것이다. 그래서 별도로 만들어진 매뉴얼이 바로 소개페이지 관리이다. 회사에 대한 간략한 소개와 운영하고 있는 채널, 사업자에 대한 정보가 노출된다. 오프라인 매장을 가지고 있는 경우나 사무실로 직접 찾아오는 고객을 응대할 수 있는 경우라면 지도를 첨부해서 올리면 된다.

프리미엄 구매평 관리

구매하러 들어온 고객에게 가장 중요한 것은 바로 구매평이

판매자의 의도에 따라 구매자가 가장 처음 보는 화면 레이아웃을 바꿀 수 있다.

다. 구매평 중에서 가장 베스트 구매평을 선정해서 노출시키면 구매자들에게 보이기 때문에 스토어에 대한 긍정적인 이미지를 심어줄 수 있다. 또 상품을 구매하는 구매 전환율이 높아지는데 긍정적으로 작용할 수 있다.

모바일 전시 관리

테마 관리에서 트렌디형과 스토리형은 PC와 모바일 버전이 같아서 PC 버전을 바꾸면 모바일 버전도 함께 변경되고 모바일 버전을 변경하면 PC도 같이 바뀐다. 그러나 심플형과 큐브형은 PC버전과 모바일 버전을 각각 세팅해야 한다. 따라서 모바일 전시 관리 영역은 심플형과 큐브형을 기준으로 설명하고자 한다. 모바일 전시 관리에는 모바일 테마 관리, 모바일 배경 관리, 모바일 컴포넌트 관리로 나누어진다.

모바일 테마 관리

모바일 테마 관리는 기본형, 매거진형으로 나누어진다. 기본형과 매거진형의 가장 큰 차이점은 제품이 보이는 형태가 다르다는 것이다.

기본형은 제품이 여러 개 디스플레이되어서 보이는 형태이고, 매거진형은 대표이미지가 크게 보이면서 사진이 좀 더 부각되어 보이는 형태다. 기본형은 상품을 많이 진열해놓는데 어떤 형태로 진열하느냐에 따라 그리드형, 리스트형, 이미지형으로 나

누어진다. 그리드형은 상품을 2개씩 진열하는 형태이고, 리스트형은 제품을 하나씩 진열한 형태다. 이미지형은 제품 이미지를 크게 강조하고 상품명이 아래에 보이는 형태다.

모바일 배경 관리

모바일 배경 관리는 PC버전과 마찬가지다. 큐브형과 심플형은 배경 컬러가 8가지로 구성되어 있으며, 트렌디형과 스토리형은 배경 컬러가 10가지다.

카테고리 관리

상품의 가지 수를 여러 개 등록하고 나면 상품을 찾기 쉽게 분류해서 올릴 수 있는데, 그 기능이 바로 카테고리이다. 카테고리를 만드는 방법은 2가지가 있다. 네이버쇼핑 카테고리와 동일하게 카테고리를 세팅하는 방법과 판매자가 원하는 카테고리 이름을 만들 수 있는 방법이 있다.

상품 카테고리 그대로 전시

다음 화면을 보면 네이버쇼핑 카테고리와 판매자가 구축한 스마트스토어의 카테고리가 같은 것을 확인할 수 있다. 네이버쇼핑 카테고리를 스토어에도 그대로 적용한 예시라고 보면 된다. 카테고리를 만들기 어렵거나 카테고리의 분류 기준을 네이버쇼핑과 동일하게 하고 싶은 경우 '스마트스토어관리>카테고리 관리'에서 카테고리 전시 방식을 상품 카테고리 그대로 전시를 체크하면 된다.

전시 카테고리가 생성된 이후 상품 카테고리 연결은 네이버쇼핑 카테고리와 다르게 나만의 카테고리를 만들어서 네이버쇼핑 영역에 등록되어 있는 내 상품과 연결하는 방법이다. 아래 예

네이버쇼핑 카테고리와 스마트스토어 카테고리 포맷이 같다.

시 화면에서 보면 초록색으로 표시된 부분이 바로 카테고리이다.

비즈온에듀 스마트스토어에서 카테고리는 페이스북, 블로그, 인스타그램, 스마트스토어, 온라인 마케팅 심화로 구성되어 있다. 카테고리를 이렇게 만든 것은 채널별로 교육 과정을 보고자 하는 사람들이 많아서 카테고리 분류를 고객이 많이 찾는 카테고리로 만든 것이다. 상품 카테고리 그대로 전시 기능을 사용할 경

전시 기능 세팅하는 법

우에는 다음 순서대로 세팅하면 된다.

스마트스토어 관리에서 카테고리 관리 클릭 → ① 상품 카테고리 그대로 전시 클릭→ ② 상품을 세팅할 카테고리 지정 → ③ 상품찾기를 클릭하여 해당 카테고리에 넣을 상품 찾기 → ④ 적용하기 클릭

전시 카테고리 생성 후 카테고리 연결

'스마트스토어관리>카테고리 관리'에서 전시 카테고리 생성 후 상품 카테고리 연결을 하는 방식도 있다. 네이버쇼핑 카테고리와 다르게 나만의 카테고리를 만들어서 네이버쇼핑 영역에 등록되어 있는 내 상품과 연결하는 방법이다. 방법은 다음과 같다.

아래 그림을 보면 초록색으로 표시된 부분이 바로 카테고리이다. 예시 화면에서 비즈온에듀 스마트스토어에서 카테고리는

카테고리 분류는 판매자가 원하는 대로 가능하다.

페이스북, 블로그, 인스타그램, 스마트스토어, 온라인 마케팅 심화로 구성되어 있다. 카테고리를 이렇게 만든 것은 채널별로 교육 과정을 보고자 하는 사람들이 많아서 고객이 주로 찾는 카테고리로 분류한 것이다.

이렇게 고객들이 찾기 쉽게 카테고리를 만들고, 그 카테고리를 찾는 고객이 네이버쇼핑 영역에 등록되어 있는 상품을 볼 수 있게 연결해서 진열해야 한다. 예를 들어 비즈온에듀 스마트스토어에 페이스북 카테고리를 만들면 페이스북 카테고리를 누르는 고객들에게 페이스북과 관련된 교육 상품이 보여야 한다. 다시 한 번 강조하면 카테고리를 만들고 난 이후에는 스마트스토어에 등록해놓은 상품을 각 카테고리에 맞게 설정하는 작업을 해야 한다는 뜻이다.

스마트스토어 관리>카테고리 관리에서 카테고리 전시 방식을 전시 카테고리로 생성한 후 상품 카테고리 연결을 하는 방식도 있다. 네이버 쇼핑 카테고리와 다르게 나만의 카테고리를 만들어서 네이버 쇼핑영역에 등록되어 있는 내 상품과 연결하는 방법이다. 구체적인 방법을 살펴보면 다음과 같다.

① 전시 카테고리 생성 후 상품 카테고리 연결 체크 → ② 전시 카테고리 문구 지정 → ③ 카테고리 추가 버튼 클릭 → ④ 카테고리 명 입력 → ⑤ 확인 버튼 클릭 → ⑥ 적용하기 클릭 → ⑦ 생성시킨 카테고리 이름 지정 → ⑧ 생성시킨 카테고리에 넣을 상품 찾기 → ⑨ 적용하기 클릭

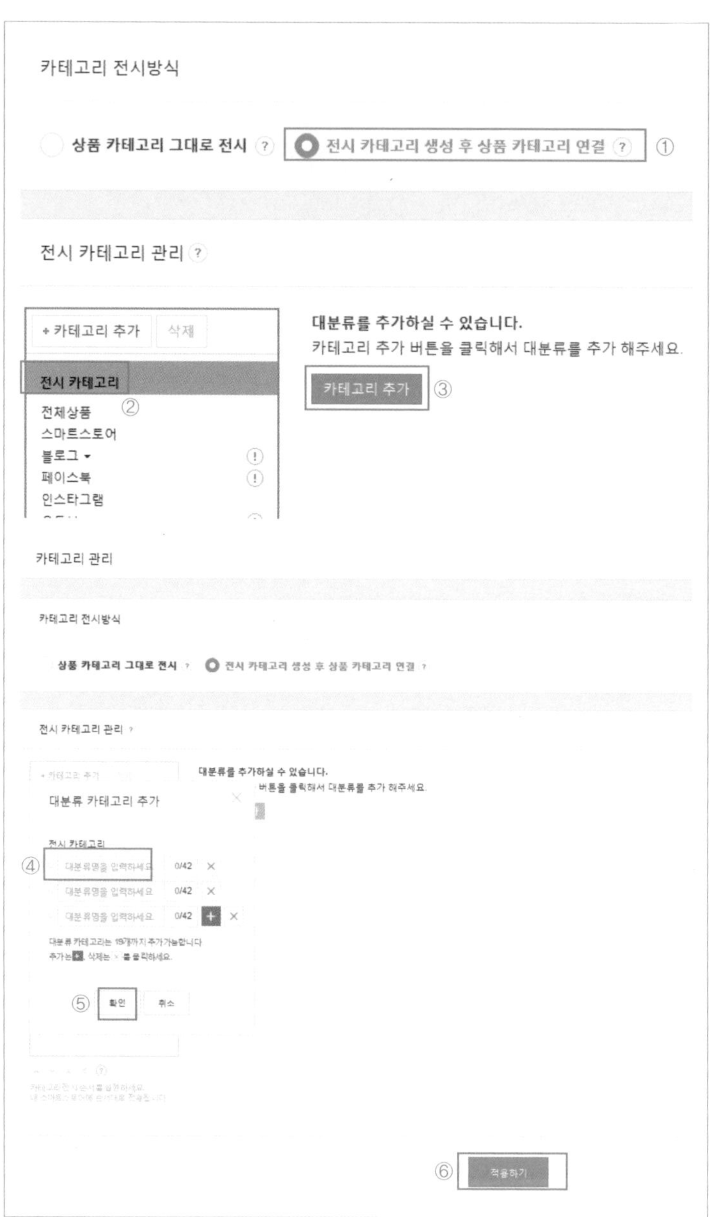

전시 카테고리 생성 후 상품 카테고리 연결 방법

생성시킨 카테고리 이름을 지정하고 상품을 찾아 적용하면 된다.

쇼핑스토리 관리

쇼핑스토리는 생긴 지 얼마 안 된 메뉴로, 나의 스토어의 새로운 소식이나 현장 이야기 또는 상품 상세페이지에서 다 보여주지 못한 이미지와 사용 정보 등을 전달할 수 있는 곳이다. 공지사항과는 다른 영역이다. 이해하기 쉽게 이야기하자면 스토어 안에 상품들과 관련해서 정보도 전달하는 블로그 같은 곳이라고 생각하면 된다.

새 쇼핑스토리 등록을 클릭하면 글 제목과 쇼핑스토리 상세

쇼핑스토리에서 상품 정보를 전달할 수 있다.

글을 작성하게 나온다. 그리고 그 글에 해당되는 상품도 함께 등록할 수 있다. 쇼핑스토리를 등록하는 방법은 다음과 같다.

스마트스토어 관리>쇼핑스토리 관리 클릭 → ① 새 쇼핑스토리 등록 클릭 → ② 글 제목 입력 → ③ 스마트 에디터 3.0의 작성 버튼 클릭 후 내용 작성 → ④ 쇼핑스토리에 맞는 상품 불러오기 → ⑤ 글 전시 기간 설정 → ⑥ 쇼핑스토리 등록 버튼 클릭

공지사항 관리

고객들에게 공지 글을 보여주어야 하는 경우가 있다. 보통은 휴일을 공지하거나 배송에 대한 내용을 공지한다. 스마트스토어에서도 공지사항을 올릴 수 있는데, 공지사항에 관련된 내용은 일반 내용과 이벤트, 배송지연, 상품과 관련된 내용이다. 또한 공지사항을 팝업창으로 띄울 수 있는 매뉴얼도 있다. 공지사항을 설정하는 방법은 다음과 같다.

NAVER 스마트스토어센터
쇼핑 스토리 관리
비즈온에듀
쇼핑 스토리 조회
새 쇼핑 스토리 등록
검색어
검색
초기화
상세검색
상품관리
쇼핑 스토리 등록
필수항목
제목
제목을 입력해 주세요.
0/50
쇼핑 스토리 상세
작성된 내용이 없습니다.
SmartEditor 3.0 PC/모바일 어디서나 수정 가능합니다.
SmartEditor 3.0 으로 작성
SmartEditor 3.0 쉽게 작성하는 방법
관련상품 연동
상품 불러오기
선택삭제
총 0개
이미지
상품번호
상품명
데이터가 존재하지 않습니다.
전시기간 설정
쇼핑 스토리 등록
취소
도움말

쇼핑스토리 등록하는 법

스마트스토어센터에서 상품관리 >공지사항 관리 클릭 → ① 공지사항 등록 버튼 클릭 → ② 일반, 이벤트, 배송지연, 상품에 관련된 내용 중 해당사항 지정. 이때 중요 공지사항으로 설정할지 모든 상품에 공지사항으로 노출할지 선택한다. 모든 상품에

화면에 노출되는 공지사항

공지사항으로 노출시키는 경우 등록한 모든 상품의 상세페이지 상단에서 확인 가능 → ③ 공지사항 제목 작성 → ④ 스마트 에디터 3.0의 버튼 클릭 후 공지사항 작성. 이때 공지사항 내용은 텍스트 외에 이미지, 영상 첨부 가능 → ⑤ 전시위치는 웹 또는 모바일 중 선택 혹은 웹과 모바일 전체 선택 가능. 이때 전시 기간, 날짜와 시간까지 선택 가능 → ⑥ 공지사항을 팝업창 형태로 게재할 때 기간 설정 가능 → ⑦ 공지사항 등록 버튼 클릭

공지사항 등록하는 법

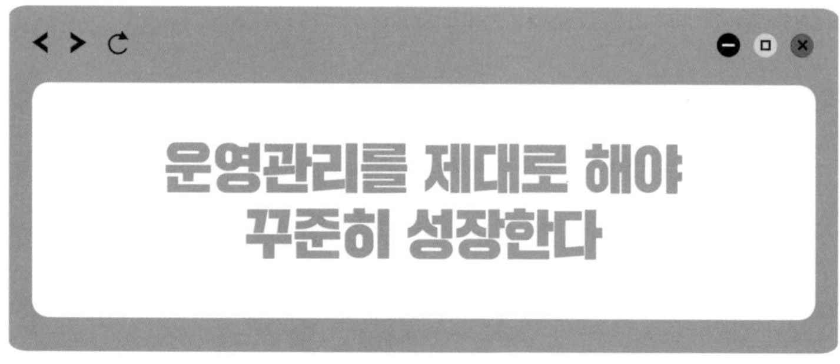

운영관리를 제대로 해야 꾸준히 성장한다

앞서 스마트스토어 가입 시 알고 가입하면 도움될 체크리스트에 대해 언급했다. 이번에는 스마트스토어에 상품을 등록하고 난 이후 운영관리 시 알아야 할 부분을 살펴보도록 하자.

스마트스토어 등급

스마트스토어 판매자 등급은 1등급부터 5등급으로 나누어져 있다. 등급 산정기준은 최근 3개월 누적데이터로 따지고 1~3월, 4~6월, 7~9월, 10~12월을 주기로 산정한다. 판매 건수, 판매 금액, 굿서비스 3가지 조건을 다 만족시켜야 한다. 예를 들어 4등급의 경우 3개월 누적 100건, 판매금액 200만 원 이상, 굿서비스를 만족해야 한다. 만일 판매건수는 100건인데 판매 금액이 200만

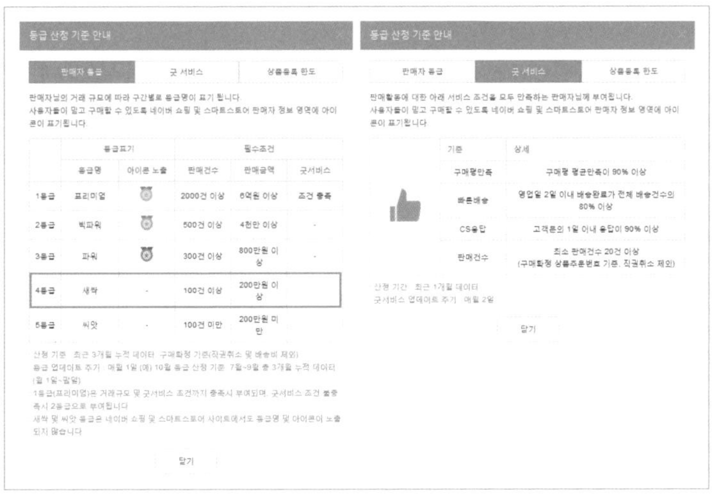

등급 산정 기준 안내

판매자 등급 | 굿 서비스 | 상품등록 한도

판매자님의 거래 규모에 따라 구간별로 등급명이 표기 됩니다.
사용자들이 믿고 구매할 수 있도록 네이버 쇼핑 및 스마트스토어 판매자 정보 영역에 아이콘이 표기됩니다.

	등급표기		필수조건		
	등급명	아이콘 노출	판매건수	판매금액	굿서비스
1등급	프리미엄		2000건 이상	6억원 이상	조건 충족
2등급	빅파워		500건 이상	4천만 이상	-
3등급	파워		300건 이상	800만원 이상	-
4등급	새싹	-	100건 이상	200만원 이상	
5등급	씨앗	-	100건 미만	200만원 미만	

산정 기준 : 최근 3개월 누적 데이터, 구매확정 기준(직권취소 및 배송비 제외)
등급 업데이트 주기 : 매월 1일 (예) 10월 등급 산정 기준 : 7월~9월 총 3개월 누적 데이터(월 1일~말일)
1등급(프리미엄)은 거래규모 및 굿서비스 조건까지 충족시 부여되며, 굿서비스 조건 불충족시 2등급으로 부여됩니다.
새싹 및 씨앗 등급은 네이버 쇼핑 및 스마트스토어 사이트에서도 등급명 및 아이콘이 노출되지 않습니다.

닫기

등급 산정 기준 안내

판매자 등급 | 굿 서비스 | 상품등록 한도

판매활동에 대한 아래 서비스 조건을 모두 만족하는 판매자님께 부여됩니다.
사용자들이 믿고 구매할 수 있도록 네이버 쇼핑 및 스마트스토어 판매자 정보 영역에 아이콘이 표기됩니다.

기준	상세
구매평만족	구매평 평균만족이 90% 이상
빠른배송	영업일 2일 이내 배송완료가 전체 배송건수의 80% 이상
CS응답	고객문의 1일 이내 응답이 90% 이상
판매건수	최소 판매건수 20건 이상 (구매확정 상품주문번호 기준, 직권취소 제외)

산정 기간 : 최근 1개월 데이터
굿서비스 업데이트 주기 : 매월 2일

닫기

스마트스토어 등급 알아보기

원 미만이라면 그 판매자의 등급은 5등급이다.

스마트스토어센터 판매자 등급 코너에서는 판매자 등급, 굿서비스, 현재 구매자 만족도를 확인할 수 있다. 판매건수와 판매금액에 대한 기준은 그대로 이해하면 된다. 하지만 굿서비스 기준은 네이버 내 기준이기 때문에 따로 살펴봐야 한다. 굿서비스는 구매평, 빠른 배송, CS 응답, 판매건수가 기준인데 매달 평가한다. 항목별 기준은 다음과 같다.

구매평: 구매평 평균만족이 90% 이상

빠른배송: 영업일 이내 배송 완료가 전체 배송건수의 80% 이상

CS응답: 고객문의 1일 이내 응답이 90% 이상

판매건수: 1개월 동안 최소 판매 건수 20건 이상

스마트스토어에서는 등급에 따라 등록할 수 있는 상품등록 개수가 정해져 있다. 가장 최하위 등급인 5등급의 상품등록 한도는 1만 개이다. 판매자 등급이 변경되면 상품을 등록할 수 있는 한도도 변경된다. 예를 들어 4등급인 판매자 제품을 8만 개를 등록했는데 5등급으로 하락한 경우 5등급의 제한 개수인 1만 개에 맞춰서 7만 개의 상품을 내려야 하는 것이 아니라 신규 등록 상품에 제한을 받게 된다.

주문 확인 및 배송 처리 방법

스마트스토어에 상품을 등록하는 교육을 받은 수강생들이 가끔 이런 질문을 한다. "올리자마자 바로 판매가 되면 어떻게 하나요?" 처음에는 그럴 일 없으니 안심하라 했는데 언젠가부터 정말 올리자마자 아무것도 하지 않았는데 갑작스레 판매가 되는 경우가 생기기 시작했다.

마음의 준비가 되지 않은 상태로 주문이 들어오니 대부분의 판매자들은 기쁘기보다는 대체적으로 당황스러워한다. 그래서 상품 주문을 확인하고 난 이후 어떻게 처리를 해야 하는지에 대한 질문을 많이 한다. 스마트스토어센터에 접속하면 상단에 입금에 대한 확인과 배송처리 현황이 보인다. 각 항목별로 어떤 의미가 있는지 살펴보자.

입금 대기: 고객이 장바구니에는 담았지만 아직 결제는 하지

않은 상황

신규 주문: 고객이 금액을 입금한 상황

오늘 출발: 상품등록 시 오늘 출발 서비스를 하겠다고 표시한 상품에 대한 주문이 들어온 경우

배송 준비: 제품을 주문받고 제품 발송을 약속하는 확인절차

배송 중: 주문이 들어온 상품을 포장하여 택배 발송 처리 이후 택배사와 송장번호(보내는 짐의 내용을 적은 것을 송장이라 하고, 이 송장에 적힌 번호를 송장 번호라고 한다.)를 입력하면 판매자와 구매자에게 동시에 '배송 중'이라고 확인이 된다.

스마트스토어에 상품이 주문이 들어오고 난 이후 어떻게 처리해야 하는지 순서대로 살펴보자.

위의 화면에서 보면 1건이라고 되어 있다. 즉 제품을 구매하겠다고 입금한 고객이 1명 있는 것이다. 주문내역이 들어오면 신규 주문 건에 나와 있는 숫자 1을 클릭한다. 숫자 1을 클릭하면 다음과 같은 화면이 나온다.

결제가 된 주문 건이 확인되면 제품을 포장 후 택배사를 통해

발송처리 방법

제품을 보낸다. 택배사와 거래를 하는 경우 송장번호를 받게 되는데 발송처리를 해야 한다. 순서는 다음과 같다.

① 발송처리할 건의 체크박스 체크 → ② 택배, 등기, 소포 / 퀵서비스 / 방문수령 / 직접 전달 등 배송 방법 중 해당되는 항목 체크 → ③ 계약된 택배사 체크 → ④ 송장번호 입력 → ⑤ 선택건 발송처리 클릭

위의 순서와 같이 처리하면 배송 중으로 넘어간다. 구매자에게는 배송이 진행되고 있음을 알리는 문자 메시지가 발송된다. 제품이 고객에게 배송되면 배송 완료로 넘어간다.

NO.	닉네임	품목	송장번호
1	올리비아핫바	로봇트레인 하우스레인세트(케이)	6126-8207-9304
2	위풍당당박남매맘	로봇트레인 하우스레인세트(케이)	6126-8207-9315
3	오기	로봇트레인 하우스레인세트(케이)	6126-8207-9326
4	울릉	로봇트레인 하우스레인세트(케이)	6126-8207-9330
5	오산주안맘	로봇트레인 하우스레인세트(케이)	6126-8207-9341
6	황금별맘	로봇트레인 하우스레인세트(케이)	6126-7984-7284
7	별이이별	로봇트레인 하우스레인세트(케이)	6126-8207-9352
8	향남	로봇트레인 하우스레인세트(케이)	6126-8207-9363
9	에너지	로봇트레인 하우스레인세트(케이)	6126-8207-9374
10	믿음80	로봇트레인 하우스레인세트(케이)	6126-8207-9385

송장번호

택배사에서 받은 송장번호 입력하기

처음 판매하는 판매자일수록 매출에 관심을 갖고 계속 주문 건이 들어왔는지를 수시로 확인하는 경우가 많다. 해야 할 일도 많고 시간 배분도 잘하는 것도 중요하기에 주문 건이 들어오는 시간을 정해놓고 확인하는 것도 시간을 절약할 수 있는 방법이다.

취소, 반품, 교환처리

대개 온라인에서 제품을 구매하는 경우 직접 보고 구매를 하는 것이 아니기 때문에 취소, 반품, 교환 이슈가 많이 발생한다. 전자상거래법상 판매자보다는 구매자에게 유리하게 되어 있는 조항들이 많고 특히나 취소, 반품, 교환과 관련된 이슈에서 판매자가 현명하게 대응하려면 최대한 취소, 반품, 교환과 관련된 내용을 자세하게 상세페이지에 명시해주는 것이 좋다.

상위권 판매자들의 상세페이지 하단에 보면 배송과 관련된 내용과 취소, 반품, 교환과 관련된 내용이 자세히 기재되어 있다. 자세하게 기재되어 있는 것엔 이유가 있다. 취소, 반품, 교환 관련된 내용으로 이슈가 많았다는 얘기다. 특히 취소의 경우 이런 이슈가 있을 수 있다.

주문이 오전 10시에 들어왔고 오후 3시에 배송을 했는데 배송 이후 송장번호를 기재하려고 스마트스토어센터에 들어가보니 오후 3시에 고객이 취소요청을 한 것으로 확인되었다.

매우 당황스러운 상황이다. 시스템상 배송 처리를 하려 했는데 고객 쪽에서 취소 요청이 들어온 것이다. 판매를 하다 보면 이런 일들이 비일비재하다. 주문을 한 고객의 마음이 바뀐 경우다. 그러므로 쇼핑몰 하단에 배송에 관련된 정보와 주문취소 등에 관련된 안내 문구 별도로 작성해놓는 것이 좋다.

체험해보고 구매하는 것이 유리한 제품군일수록 반품과 교환

▶주문취소는 am 11:00 이전 까지만 취소 가능

이후의 발송건은 취소요청 하셨어도 반품배송비 청구

(전산상 준비중 이더라도 발송중 일 수 있습니다)

▶당일 발송처리 여부는 pm 8: 00 이후 확인가능

▶합배송건은 단품배송건 보다 시일이 더 소요

비비야 반품/교환 안내

반품 시 먼저 판매자와 연락하셔서 반품사유, 택배사, 배송비, 반품지 주소 등을 협의하신 후 반품상품을 발송해 주시기 바랍니다

판매자 지정택배사	CJ대한통운		
반품배송비	편도 2,500원 (최초 배송비 무료인 경우 5,000원 부과)	교환배송비	5,000원
보내실 곳	(우 : 21673) 인천광역시 남동구 포구로 35 (유호엔시티1단지) 103동 2901호		
반품/교환 사유에 따른 요청 가능 기간	구매자 단순변심은 상품 수령 후 7일 이내 (구매자 반품배송비 부담) 표시/광고와 상이, 상품하자의 경우 상품 수령 후 3개월 이내 혹은 표시/광고와 다른 사실을 안 날로부터 30일 이내 (판매자 반품 배송비 부담) 둘 중 하나 경과 시 반품/교환 불가		
반품/교환 불가능 사유	1. 반품요청기간이 지난 경우 2. 구매자의 책임 있는 사유로 상품 등이 멸실 또는 훼손된 경우 (단, 상품의 내용을 확인하기 위하여 포장 등을 훼손한 경우는 제외) 3. 포장을 개봉하였으나 포장이 훼손되어 상품가치가 현저히 상실된 경우 (예: 식품, 화장품, 향수류, 음반 등) 4. 구매자의 사용 또는 일부 소비에 의하여 상품의 가치가 현저히 감소한 경우 (라벨이 떨어진 의류 또는 태그가 떨어진 명품관 상품인 경우) 5. 시간의 경과에 의하여 재판매가 곤란할 정도로 상품 등의 가치가 현저히 감소한 경우 6. 고객주문 확인 후 상품제작에 들어가는 주문제작상품 (판매자에게 회복불가능한 손해가 예상되고, 그러한 예정으로 청약철회권 행사가 불가하다는 사실을 서면 동의 받은 경우) 7. 복제가 가능한 상품 등의 포장을 훼손한 경우 (CD/DVD/GAME/도서의 경우 포장 개봉 시)		

반품 · 교환 안내 문구

이슈가 더 많이 발생한다. 스마트스토어에 기본적으로 반품·교환이 불가능한 경우는 다음과 같이 명시되어 있다.

1. 반품요청기간(배송완료 이후 7일 이내)이 지난 경우
2. 구매자의 책임 있는 사유로 상품 등이 멸실 또는 훼손된 경우(단, 상품의 내용을 확인하기 위하여 포장 등을 훼손한 경우는 제외)
3. 포장을 개봉하였으나 포장이 훼손되어 상품가치가 현저히 상실된 경우(예 : 식품, 화장품, 향수류, 음반 등)
4. 구매자의 사용 또는 일부 소비에 의하여 상품의 가치가 현저히 감소한 경우(라벨이 떨어진 의류 또는 태그가 떨어진 명품관 상품인 경우)
5. 시간의 경과에 의하여 재판매가 곤란할 정도로 상품 등의 가치가 현저히 감소한 경우
6. 고객주문 확인 후 상품 제작에 들어가는 주문제작상품(판매자에게 회복 불가능한 손해가 예상되고, 그러한 예정으로 청약 철회권 행사가 불가하다는 사실을 서면 동의 받은 경우)
7. 복제가 가능한 상품 등의 포장을 훼손한 경우(CD·DVD·GAME·도서의 경우 포장 개봉 시)

스마트스토어뿐만 아니라 온라인 마켓에 공통적으로 명시되어 있는 내용이다. 하지만 내용을 자세히 보면 '구매자의 사용 또는 일부 소비에 의하여 상품의 가치가 현저히 감소한 경우'라는

문구가 있다. 이는 주관적인 기준으로 해석할 여지가 많다.

필자가 신발을 판매할 때 이런 적이 있었다. 한 달 전에 신발을 구매한 사람이 연락이 왔다. 신발을 신고 길을 걸어가다가 신발 등 부분이 갑자기 터졌다고 했다. 상황이 이해가 안 가긴 했지만 일단은 신발을 보내달라고 했고 몇 일 뒤 신발을 받아봤다. 누가 봐도 칼로 찢은 것 같다는 생각이 들었다. 억울했지만 결국 반품 처리를 해줬다.

판매를 하다 보면 이런 일은 비일비재하다. 이런 상황을 많이 겪으면서 교환 반품과 관련된 문구가 보다 구체적으로 진화했다.

전자상거래법상 내용과 공정거래위원회에서 보호하는 부분도 판매자보다는 소비자에게 유리한 부분이 많다. 가장 좋은 방법은, 교환 및 반품과 관련된 내용 중에 자세히 기재되어 있는 판매자의 문구를 벤치마킹하는 방법이다. 그리고 판매를 하면서 반품과 교환 관련된 시행착오를 겪은 내용들을 계속 보완해나가야 한다.

다음 페이지 사례 예시 중 "공장 제작 과정상 벌어짐 방지를 위해 포켓은 봉제돼 제공되므로 불량사유가 되지 않으며, 착용하실 때 봉제선을 제거하고 착용하시기 바랍니다."라는 문구는 봉제돼 있어서 불량이 아니냐는 오해를 많이 받았고 그로 인한 반품 교환 요청을 고객들로 많이 받아 문구가 구체적으로 진화한 것으로 보인다.

상품등록 시 반품 배송비는 편도 비용에 대한 내용을 작성하

<교환 및 반품이 불가한 상품>
<Can't Exchange and return Goods>

-고객의 부주의로 인한 제품의 훼손, 변형, 냄새, 오염이나 파손으로 인하여 재화의 가치가 떨어진 경우
(향수, 섬유탈취제, 화장품, 음식물, 소매주름, 착용한 흔적, 기타 등),
상품을 세탁 및 드라이클리닝을 하거나, 수선하였을 경우 반품이 불가합니다.
Products due to customer negligence damage, modification, odor, pollution or damage to because the value of the goods apart
(Perfume, textile deodorant, cosmetics, food, sleeves, worn marks, etc.), washing, dry cleaning, or repairing the goods.

-모든 의류의 첫 세탁은 물빠짐과 이염을 방지하기 위해 드라이클리닝을 권장합니다.
-데님 및 염색된 원단의 물빠짐은 자연스러운 현상입니다.
-장식이 있는 옷은 손빨래나 드라이 클리닝을 하시면 오래 입으실 수 있습니다.
-워싱바지는 워싱 특성상 돌멩이가 나올 수 있으므로 불량으로 간주되지 않습니다.
-가죽제품은 원단특성상 냄새가 날 수 있는 점 참고바랍니다.
First wash all clothing is recommended for dry cleaning in order to prevent water and otitis omission
Every fabric dyed denim, and water is a natural phenomenon.
The decor is old clothes that you can wear to please hand washing or dry cleaning.
Washing your pants can come out stones.
Please note that leather products may smell due to the nature of the fabric.

- 공장 제작 과정상 벌어짐 방지를 위해 포켓은 봉제돼 제공되므로
불량 사유가 되지 않으며, 착용하실 때 봉제선을 제거하고 착용하시기 바랍니다.
According to the manufacturing process, all pockets attached to clothes will be sewed up
in order to maintain their original forms. Therefore, we inform you that these status can not be the reason for defectiveness.
We recommend you to cut off the sewing line when you receive the product.

-레깅스,속옷,수영복,래쉬가드는 제품 특성상 교환 및 반품이 불가합니다.
Leggings, Underwear, Swim wear, Rash Guard will not exchange or return the product nature.

-데님 소재 및 컬러감이 강한 의류의 경우 밝은 소재(의류,가방,슈즈)와 함께 착용 시 이염 가능성이 있을 수 있으니 주의하여 주세요.
Please note that denim and high-color clothing may have a possibility of transferring when worn with bright materials (clothing, bags, shoes).

-교환 및 반품을 원하시는 고객님들께서는 상품수령 후 7일 이내에 교환, 반품이 가능하며
핫핑 콜센터 또는 게시판을 이용해주셔야 하오니 이 점 유의해주시기 바랍니다.
Customers who want to exchange or return can exchange and return goods within 7 days of receipt
you can use a call center of delivery board.

본 사이트의 모든 이미지를 핫핑 외에 상업적인 용도, 무단도용 적발시에는
법적인 조치를 취할 수 있음을 알려드립니다.
If you commercial use any image, when unauthorized use
We can take legan action.

모니터에 따라 이미지가 다를 수 있음을 알려드립니다.

교환 및 반품에 관한 내용은 최대한 구체적으로 명시하는 것이 좋다.

고, 교환은 제품이 오가므로 왕복 비용을 작성하게 되어 있다. 예를 들어 택배사에 택배비 계약이 3,000원인 경우 반품 배송비는 3,000원이다. 무료배송을 한 경우에는 반품이 들어왔을 때는 처음에 보냈을 때 판매자가 택배비를 부담해서 보냈기 때문에 반품 금액은 6,000원이 된다. 교환 배송비는 3,000원인 경우 왕복금액을 작성해야 하기 때문에 6,000원을 작성하면 된다.

스마트스토어 정산 주기

판매하면서 중요한 것은 정산이다. 정산주기에 영향을 끼치는 것은 고객이 제품을 받고 구매확정을 누르고 후기를 작성해주느냐에 대한 여부와 영업일, 배송 방식이다.

정산은 주문이 종료(구매확정, 반품완료, 교환완료)되는 시점으로부터 2영업일째 되는 날이다. 만약 고객이 8월 1일에 주문해 8월 3일에 제품이 도착했고, 제품을 받고 제품이 맘에 들어 8월 3일 당일 구매확정 버튼을 누르고 후기까지 남겼다면 이 구매자가 결제한 금액 중에 수수료를 제외한 나머지 정산 금액은 8월 5일 정산 처리된다. 만약 고객이 제품을 받고 구매확정을 누르지 않고 후기도 작성하지 않은 경우 배송 완료일인 8월 3일에서 7일 뒤인 10일에 정산금액이 들어온다.

배송 추적이 불가한(방문수령, 기타택배, 퀵서비스, 직접전달) 주문건은 발송처리일 기준으로 20일째 되는 날 자동 구매 확정이 진행된다. 예를 들어 주문이 들어와서 발송을 8월 5일에 진행했는데 퀵서비스로 배송한 경우 8월 24일에 정산처리된다.

스마트스토어센터 정산관리 메뉴에서 판매자의 상품 판매대금이 언제(정산예정일, 정산완료일), 얼마나(정산금액), 어떻게(계좌이체 혹은 충전금) 처리되는지 확인할 수 있다. 스마트스토어센터에 가입할 때 제품이 팔린 이후에 정산받을 방법을 기재하는데, 계좌번호 아니면 판매자 충전금을 체크하게 되어 있다.

입금계좌의 경우 은행에서 만들어진 통장 이름과 동일하게 해야 한다. 예를 들어 '고아라(주식회사 비즈온 컴퍼니)' 이렇게 만들었다면 그대로 똑같이 기재해야 인증을 받을 수 있다. 수강생들이나 아는 사람들 중에 정확하게 계좌이름을 쓰지 않아 승인을 받는 데 시행착오를 겪는 경우를 많이 봤다.

스마트스토어센터에 정산관리 메뉴에는 정산내역, 정산내역 상세, 부가세신고 내역, 세금계산서 조회, 충전금 관리로 나누어져 있다. 각 항목별로 확인할 수 있는 내용을 살펴보자.

정산내역: 오늘 입금될 상품 결제대금과 과거 정산내역, 상품 주문별 상세 정산내역을 확인할 수 있다.

정산내역 상세: 상품 주문별 결제대금 및 수수료와 관련된 결제대금 정산, 할인·적립과 관련된 혜택정산, 상품 판매대금에 연계되지 못하고 적용되는 일별·공제 환급, 지급보류 금액을 확인할 수 있다.

부가세신고 내역: 스마트스토어 판매 내역의 부가세신고를 돕기 위한 참고 자료를 확인할 수 있다. 세금신고를 할 때 직접 알고 신고를 하면 좋겠지만 보통은 세무사에 기장을 맡기는 경우가 많다. 이때 부가세신고 내역에서 조회해서 확인해보고 세무사에게 조회내역을 알려주는 것이 가장 좋다. 스마트스토어를 통해 매출이 일어난 것은 판매자가 신고하지 않아도 스마트스토어에서 판매자의 매출액에 대한 부가세 신고를 진행하게 되어 있다. 스마트스토어 외에 다른 타 마켓에서도

판매를 하는 경우 부가세신고 내역에서 확인해야 한다.

세금계산서 조회: 수수료 내역(네이버페이 결제 수수료, 네이버쇼핑 매출 연동 수수료, 무이자할부 수수료, (구)판매 수수료 등)에 대해 판매자에게 발행된 세금계산서 내역을 각각 확인할 수 있다.

충전금 관리: 판매대금을 정산받을 수 있는 예치금 수단인 충전금 내역을 확인할 수 있다.

이것이 궁금해요

Q. 개인판매자로 가입한 다음 사업자등록을 했습니다. 사업자 판매자로 전환하려면 어떻게 해야 하나요?

A. 사업자등록을 하지 않고 개인판매자로 시작했다가 정식으로 사업자등록증을 내는 경우가 있습니다. 우선 스마트스토어센터 내 판매자 정보에 가면 정보변경신청 코너가 있습니다. 여기에 사업자등록증과 통신판매업신고증, 통장사본, 대표자 명의 인감증명서를 제출하면 됩니다. 모든 서류는 이미지 파일(jpg,gif,png) 형식으로 제출 가능하며 한 파일당 최대 10MB까지 첨부할 수 있습니다. 인감증명서 및 법인사업자의 경우 법인등기사항전부증명서는 3개월 이내에 발급된 서류로 제출해야 합니다. 또한 통장 사본의 경우 '예금주명=판매자 계정 대표 성명(법인인 경우 법인명)'이 맞는지 확인한 후 제출해야 합니다. 개인정보보호를 위해 주민등록번호가 표기된 서류는 뒤 6자리를 보이지 않도록 편집해서 제출해야 하니 이 부분 참고하기 바랍니다.

북큐레이션 • 4차 산업혁명 시대를 대비하는 이들을 위한 라온북의 책

기존의 공식이 통하지 않는 급변의 시대, 남보다 한 발 앞서 미래를 준비하는 사람이 주인공이 됩니다.

디지털 노마드

권광현, 박영훈 지음 | 15,000원

사무실과 직장 없이도 원하는 곳에서 원하는 만큼 일하며 디지털 노마드족으로 사는 법!

'디지털 노마드(Digital Nomad)'란 인터넷, 네트워크 기술의 발달로 탄생한 종족으로 태플릿 PC, 노트북 등의 IT 기기를 갖추고 전 세계를 여행하면서 일하는 사람들이다. 이들은 디지털 기기를 사용할 수 있는 곳이라면 어디서든 일할 수 있다.

월 수익 1,000만 원 이상을 버는 저자들은 '디지털 노마드'가 무엇인지와 어떻게 디지털 노마드로 살 수 있는지 방법을 이 책에 담았다. 어떤 플랫폼을 활용하여, 어떻게 시작하고, 온라인 세계에 돈을 벌 수 있는 판을 깔고, 자동으로 수익을 일으킬 수 있는지 구체적인 매뉴얼까지 알려주어 그대로 따라하면 성과를 낼 수 있다.

SNS 마케팅 시리즈

임헌수, 최재혁 지음 | 각 권 16,000원

카카오스토리, 인스타그램, 네이버, 구글, 유튜브 지금 가장 뜨거운 눈 채널 마케팅의 모든 것!

온라인 마케팅은 날로 발전하는 기술의 변화와 시시각각 변화하는 소비자들의 입맛을 잡기 위해 더욱 치열하게 전개될 것이다. 이 경쟁 속에서 살아남기 위해서는 나의 일방적인 메시지를 전달하는 것이 아니라, 디지털 시대에 걸 맞는 채널로 재가공하여 발신해야 한다. 이야기를 듣고 싶어 할까? 이 시리즈는 모든 온라인 마케터와 사장들의 질문에 답한다. 전문가가 다년간 축적한 온라인 마케팅 핵심 개념을 초보자의 눈높이에 맞게 설명하고 있으며, 특히 홍보에만 주력할 수 없는 대다수 기업의 현실을 적극 반영하여 최대한 간편하고 쉽게 따라 할 수 있는 방법을 함께 소개하고 있어 매우 실용적이다.

초격차 영업법

이정식 지음 | 14,300원

장기불황 · 저성장 · 서든데스 시대, 경쟁자가 감히 따라잡을 수 없는 초격차 기업들만의 현장 전략!

'초격차 영업 4P모델'은 저성장은 물론 역성장시대에도 매출을 올릴 수 있는 영업 전략 모델이다. 이는 영업 프레임워크를 위한 '전략 영업'과 이런 전략을 실행에 옮기는 '실행 영업', 그리고 효율과 생산성을 만들어 낼 수 있는 '프로세스 영업', 마지막으로 단기적 성과는 물론 장기적 성과를 낼 수 있는 '성과 영업'을 말한다. 그리고 이 책에서는 이를 쉽게 이해하고 자신의 영업 상황에 적용 가능하도록 설명한 것을 담고 있다.

생초보, SNS마케팅 하루 만에 끝장내기

서영주, 서승미 지음 / 15,000원

지금은 SNS 마케팅으로 돈 버는 시대
월 1000만 원 수익 내는 SNS 마케팅 사용설명서

자본, 인맥, 스펙이 남보다 특출나지 않아도 성공하는 시대이다. 성공 비결은 바로 SNS 마케팅에 있다. 저자 서영주는 13년차 블로거이자 여러 프로그램을 잘 다루어 PC로 하는 일에 능숙한 마케팅 전문가이다. 저자 서승미는 오랫동안 SNS교육과 코칭을 해온 SNS 마케팅 강사이자 뭐든 모바일로 해결하는 모바일 전문가이다. 이 책은 하루 만에 SNS 마케팅을 끝낼 수 있도록 중요 내용만 추려, 'SNS로 수익을 창출한 성공 사례' 'SNS 마케팅의 핵심 비결' 'SNS별 마케팅의 특징 및 요령'으로 구성하였다. SNS 생초보라도 인스타그램, 페이스북, 네이버 블로그를 하루 만에 끝낼 수 있도록 쉽게 썼다.